CLAIRE LENOIR
ET AUTRES CONTES INSOLITES

VILLIERS DE L'ISLE-ADAM

CLAIRE LENOIR
ET AUTRES CONTES INSOLITES

Introduction et notes
par
Jacques NOIRAY
Professeur à l'Université de Bordeaux III

Publié avec le concours
du Centre National des Lettres

GF
FLAMMARION

*Œuvres de Villiers de l'Isle-Adam
dans la même collection :*

Contes cruels

*On trouvera en fin de volume une chronologie,
une bibliographie et un dossier de lectures*

INTRODUCTION

Villiers n'est pas simple. Entre les bouffonneries ténébreuses de Bonhomet et les élans sublimes de Claire Lenoir, entre l'humour noir du *Jeu des grâces* ou de *L'Inquiéteur* et la fantaisie du *Conte de fin d'été,* entre la cérébralité cruelle de *La Torture par l'espérance* et l'horreur nue de *Catalina,* on croit reconnaître, plus encore qu'un mélange des tons, les risques d'une disparate. Il y a du Protée dans ce génie-là. C'est pourquoi Villiers, pendant longtemps et naguère encore, a été rangé, pour crime d'inégalité et de confusion, parmi les auteurs du second rayon. Il peut alors sembler paradoxal de réunir, dans une anthologie que Villiers lui-même n'aurait sans doute jamais admise, des contes aussi différents que *Claire Lenoir* ou *Ce Mahoin!,* que *La Torture par l'espérance* ou *L'Étonnant Couple Moutonnet.* Il y a pourtant dans cette œuvre multiple, et particulièrement dans les contes, qui en sont peut-être la partie la plus achevée, un dessein unique, un projet cohérent qu'une notion chère à Villiers permet de mieux saisir : non pas tant celle de fantastique, dont A.-M. Schmidt et A.W. Raitt ont bien montré ici les limites, que celle d'insolite. Insolite d'une pensée qui s'isole, loin des pesanteurs d'un siècle positiviste ; insolite d'une imagination qui sait reconnaître, hors des modèles admis, les formes d'une sensibilité nouvelle.

Il faut mettre à part *Claire Lenoir*. D'abord parce que, si l'on excepte le roman inachevé d'*Isis* et les deux drames d'*Elën* et de *Morgane,* publiés confidentiellement à un très petit nombre d'exemplaires, *Claire Lenoir* est le premier texte important de Villiers, le plus ancien de ses contes, le point de départ de sa véritable carrière littéraire. Ensuite parce que ce texte est le premier dans lequel apparaît le grotesque personnage qui désormais va obséder l'imagination de Villiers, comme plus tard le père Ubu celle de Jarry : le docteur Tribulat Bonhomet. Enfin, parce que *Claire Lenoir* a fait beaucoup, parmi les contemporains de Villiers, pour la réputation intellectuelle de son auteur. Si celui-ci a pu passer, aux yeux de lecteurs aussi exigeants que Mallarmé ou Remy de Gourmont, pour « le restaurateur de l'idéalisme littéraire », c'est surtout parce que *Claire Lenoir* leur semblait, au premier chef, un texte philosophique. Les passages théoriques, plus denses, plus complets que ceux d'*Axël* ou de *L'Ève future,* ont pris, au temps du symbolisme, valeur de manifeste. Toute une génération inquiète, déçue par les excès du matérialisme positiviste, s'est reconnue dans les discours de Césaire et de Claire, et la nouvelle est apparue, en 1887 surtout, lors de sa publication définitive en volume, comme la meilleure expression littéraire de l'idéalisme issu de Hegel.

Une première lecture de *Claire Lenoir* paraît confirmer cette interprétation. Les chapitres IX à XIV, qui forment le noyau de la nouvelle et comme son centre de gravité, sont consacrés à la longue discussion qui oppose, sur les grandes questions métaphysiques de la nature du monde réel et de Dieu, et du sens de l'existence, l'hégélien Césaire, la chrétienne Claire et le matérialiste Bonhomet. Il est visible que le docteur a le dessous dans cette discussion, et, même s'il se refuse à l'admettre, il doit reconnaître que les « paradoxes assez serrés » de Lenoir lui ont fait passer de mauvais moments. C'est que Villiers, peu soucieux de faire la part belle à un système de pensée qu'il déteste, s'est contenté de caricaturer, en Bonhomet, le positivisme le plus obtus. Les idées du docteur se ramènent à quelques propositions d'un matérialisme simpliste, telles que « l'âme n'est qu'une sécrétion du cerveau » ou « l'idéal est une maladie de l'organisme ». Au-delà, Bonhomet, incapable de conduire une démonstration argumentée, en est réduit à des affirmations absurdes, à des questions saugrenues, à tout un « galimatias » décousu, afin d'abrutir l'adversaire et de « parvenir à son unique but », qui est de « brouiller les cartes au point que chacun [...] discut[e] et cri[e] sans savoir pourquoi ».

Césaire, bien qu'homme de science lui aussi, est pour Villiers d'une autre envergure. Cet « hégélien enragé et très entendu » occupe dans la conversation la place la plus importante. C'est lui que l'auteur a chargé d'exposer les grandes lignes de la métaphysique idéaliste qui forme l'armature philosophique de la nouvelle. Pour lui, « l'Esprit fait le fond et la fin de l'univers », et la nature ne peut se comprendre que comme expression de l'Idée suprême. La matière est un ensemble de qualités, mais ce qui soutient ces qualités, la substance, est une création purement intellectuelle. L'Idée apparaît ainsi comme la plus haute forme de la réalité. Si Dieu existe, ce ne peut être que comme « l'Esprit du monde », le divin Penseur par qui les choses adviennent en vertu d'une nécessité absolue. Il n'est pas interdit alors à la raison humaine de chercher à pénétrer les lois qui régissent cette nécessité, et de parvenir à une connaissance approfondie des mécanismes de la nature, « même en ce qui touche la Solution-suprême du rébus de l'Univers ». L'idéalisme de Césaire est donc aussi, comme celui de Hegel, un rationalisme, dans la mesure où l'humanité peut prétendre, grâce aux progrès de la raison et de la science, faire coïncider son raisonnement avec l'essence même des choses.

Les préoccupations de Claire sont toutes différentes. Plus effacée, elle se contente en général d'une attitude de réserve, et sa pensée profonde n'apparaît vraiment qu'au chapitre XII. Hégélienne dans le principe, elle s'accorde avec Césaire pour proclamer que l'esprit de l'homme est sans limites. Mais, se hâte-t-elle de préciser, à condition qu'il soit éclairé par la Révélation chrétienne, « éternelle, inconditionnelle, immuable ». Pour Claire, la Foi est le principe universel, la croyance, « la seule base de toutes les réalités ». Peu importent alors les prétendues victoires de la science et de l'esprit humains ; peu importent les ambitions du rationalisme hégélien. Pour Claire, l'humanité, pécheresse et mortelle, ne sera sauvée que si elle se retire en l'éternel, loin des mensonges d'un progrès imaginaire. Aux illusions du « siècle de lumières », préférons la « Lumière des siècles ». Nul doute que Claire, ici, exprime le point de vue de Villiers lui-même.

Il ne faudrait pourtant pas croire que la signification philosophique de *Claire Lenoir* soit aussi simple. La position de Césaire, en particulier, n'est pas nette, et n'évite ni les retournements ni les contradictions. Après avoir soutenu que le raisonnement humain peut pénétrer l'essence des choses et que « comprendre, c'est le reflet de créer », Lenoir, par une brusque volte-face, semble renier ce qu'il vient d'affirmer : « Je parle, en ce moment, Philosophie : mais, *ne croyant qu'aux Sciences-noires,* je n'attribue qu'une importance douteuse, — et, en un mot, toute *relative* — aux principes que je soutiens en ce moment. » Plus loin, après avoir défendu la raison humaine et s'être fait l'apôtre du progrès par la science, Césaire ne craint pas de « tourner brusquement casaque » et de faire l'éloge de la foi : « En effet, croire : cela suffit. Et quand je m'efforce d'affirmer l'autocratie d'une philosophie quelconque — (alors qu'il y en a autant que d'individus) — lorsque je me bats les flancs, enfin, pour défendre les arguties de la Science, — si vaine en ses résultats réels, si orgueilleuse en ses troublantes apparences, — je conviens, oui, je conviens que je réprime toujours en moi-même une immense envie de rire. »

En fait, cette distance que Césaire prend avec des principes qu'il semblait défendre reflète les hésitations de l'auteur lui-même, et montre la fragilité de son hégélianisme. L'étude des sources de la nouvelle prouve que la connaissance que Villiers avait de l'œuvre du philosophe allemand se limite à une lecture superficielle de l'*Introduction à la philosophie de Hegel* de Véra, lecture si rapide que Villiers en a retenu surtout ce qui, typographiquement, attirait plus particulièrement l'œil, préface, notes, appendices. Il y a loin de cette assimilation hâtive à l'érudition que les contemporains ont si généreusement prêtée à l'auteur de *Claire Lenoir !* En outre, la position de Villiers n'est pas restée stable à travers le temps, et l'examen des variantes qui distinguent la publication préoriginale de 1867 de l'édition définitive de 1887 montre que l'hégélianisme de Villiers, vif sans doute au moment où il rédigeait le premier état de son texte, s'était bien affaibli vingt ans plus tard lors de la publication de *Tribulat Bonhomet*. Le personnage de Claire, en particulier, se ressent de cette évolution, et l'hégélienne convaincue de la première version fait place, finalement, à une chrétienne qui ne ménage pas ses attaques contre le système auquel son mari semble être, au moins dans les grandes lignes, resté fidèle.

Cette ambiguïté est encore compliquée par la place que Villiers réserve dans *Claire Lenoir* à l'occultisme. Un discours ésotérique, emprunté au *Dogme et Rituel de la haute magie* d'Éliphas Lévi, se superpose au discours proprement philosophique, au point de le recouvrir souvent, et de rendre plus difficile encore une interprétation cohérente de la nouvelle. Césaire, ce « maniaque de philosophie », est en même temps un adepte « de la Magie, du Spiritisme et du Magnétisme et, surtout, de l'Hypnotisme », tenté, comme Villiers et la plupart de ses contemporains, par les prestiges des « sciences noires ». En fait, ce que Césaire met au-dessus de tout, c'est l'existence d'un monde surnaturel que l'idéalisme permet de postuler, mais que la raison s'épuise à définir. L'occultisme apparaît alors comme le seul moyen d'explorer cet au-delà, au moment où le raisonnement philosophique renonce. Les sciences cachées jouent pour Césaire le même rôle que pour Claire la religion révélée : elles montrent le chemin des étoiles.

La signification de *Claire Lenoir* s'éclaire de ce rapprochement : ce que cherche Villiers, c'est, conformément à l'ambitieuse devise de la *Revue des Lettres et des Arts* où parut d'abord la nouvelle, à « faire penser » son lecteur. L'idéalisme hégélien, comme la révélation chrétienne ou les sciences occultes, sont des voies convergentes destinées à conduire l'humanité vers cet au-delà du monde sensible dont Villiers cherche à démontrer l'existence, contre le matérialisme épais de tous les Bonhomet

de la science nouvelle. Peu importe finalement la multi-
plicité des arguments. L'essentiel est que, par la logique
du raisonnement philosophique ou par le mystère des
phénomènes surnaturels, le lecteur soit amené à convenir
de l'existence irréfutable d'un *autre monde,* et que le
scientisme soit défait. L'alliance contre nature que Villiers conclut provisoirement entre l'hégélianisme, le
christianisme et l'occultisme n'a pas d'autre fin. Il n'en
demeure pas moins que l'incohérence des moyens de
démonstration utilisés fait que *Claire Lenoir* n'échappe
pas toujours aux reproches de confusion et de «fatras
philosophique» — pour reprendre une expression de
Villiers lui-même — que l'on serait tenté parfois de lui
adresser.

Cet effet de confusion est accentué par l'indécision
morale que Villiers a fait peser sur sa nouvelle. Aucun
personnage en effet n'y apparaît vierge d'ambiguïtés.
Claire, cette âme d'élite, parée des plus belles qualités de
beauté, d'intelligence et d'élévation spirituelle, est aussi
une femme «coupable». Césaire, l'amateur d'abstractions et de disputes philosophiques, se révèle animé d'une
sauvagerie native qui éclate dans sa gloutonnerie, sa
concupiscence et sa jalousie. Même Bonhomet, l'âme
vile, le caïman fait homme, apparaît travaillé par les
tourments d'une angoisse existentielle qui rachète quelque peu le personnage et le rend curieusement proche de
son créateur. Une vérité profonde semble ainsi chaque
fois contredire les apparences. Ou plutôt, la vérité de
chaque personnage est faite de l'union contradictoire du
visible et du caché. En confondant, à l'intérieur de la
même créature, la sainte et la femme adultère, le méta-
physicien et le sauvage, le positiviste borné et le rêveur
«angoisseux», Villiers nous montre que l'ambiguïté est
source de toute vérité, et que la fausse simplicité de la
raison doit le céder aux exigences déroutantes d'une logique en apparence aberrante, mais plus compréhensive et
finalement plus révélatrice.

De l'ambiguïté au fantastique, la limite est peu perceptible, et Villiers a pris soin de maintenir sa nouvelle sous
le signe de l'irrationnel. «Faire penser», ce n'est pas

seulement convaincre, c'est d'abord faire trembler : l'évidence du monde surnaturel naît du vacillement des « lumières ». De là, dans *Claire Lenoir,* et pas seulement dans le titre de la nouvelle, cette complaisance pour les ténèbres, réelles ou symboliques : celles du décor tragique de l'océan déchaîné, « noir chaos d'horribles nuages », celles de la grande Nuit métaphysique qui déroule au-dehors, pendant la conversation des trois personnages, son « horreur sans astres ». De là aussi ces ténèbres consubstantielles, qui marquent chaque personnage d'un signe nocturne : opacité de Bonhomet, l'âme de poix, placée sous la sombre invocation de Saturne ; cécité menaçante de Claire qui, avant d'être la promesse de lumières nouvelles, montre l'attachement de la jeune femme au monde obscur où fut commis l'adultère — et il n'est peut-être pas indifférent que Villiers, par une sorte de symbolique redondance, ait tenu à donner à Claire, même avant son mariage, le nom de *Lenoir;* ténèbres enfin de l'être profond de Césaire, de cette sauvagerie native qui s'accomplira, finalement, par la métamorphose en Ottysor, l'homme noir dans un monde noir, le fantastique habitant de ce décor de laves et de sables basaltiques « pareils à la poussière d'anthracite », dans lequel s'accomplira, sous la forme sacrificielle de la décollation, la vengeance posthume de l'adultère.

Si l'univers de *Claire Lenoir* apparaît essentiellement ténébreux, c'est que cette obscurité symbolique appelle une illumination nouvelle. Tout l'effort de l'aveugle humanité, et d'abord celui de l'homme de science, vise à percer les voiles qui l'enveloppent, à « mettre à nu les arcanes d'un monde momentanément invisible ». C'est pourquoi les appareils d'optique, lentilles, microscopes, ophtalmoscope, dont s'entoure Bonhomet et dont il ne se sépare jamais, ne doivent pas être considérés comme de simples accessoires de l'expérimentateur. Ils constituent véritablement ce qu'on pourrait appeler l'outillage symbolique de la nouvelle, ils sont chargés d'en manifester la signification profonde. Paradoxalement, c'est au docteur lui-même qu'il revient, par une sorte d'ironie de l'auteur, de poser la question capitale : quel est « le degré de *réalité*

que peuvent avoir les hallucinations ? » A cette question,
Villiers avait déjà répondu clairement, par l'intermédiaire
de Césaire : « Les choses vues par un visionnaire sont, au
fond, *matérielles* pour lui à un degré aussi positif, tenez — que le Soleil lui-même. » C'est ici l'idée-force, le
thème fondateur. Mais il faudra encore, pour convaincre
l'incrédule Bonhomet, aussi bien que le lecteur lui-
même, que cette matérialité soit vérifiée par des moyens
irréfutables. L'ophtalmoscope, en montrant que l'image
des visions de Claire s'est imprimée sur sa rétine, permet
de mesurer scientifiquement l'irruption d'une réalité visionnaire dans l'univers de la réalité objective. Instrument métaphysique, il établit définitivement la confusion
du monde « positif » et du monde surnaturel. Telle est
l'ironie de Villiers, de forcer la science à se trahir en
quelque sorte elle-même, en prouvant par la méthode
expérimentale l'existence de ce qu'elle voulait refuser.
On comprend alors le cri de Bonhomet, cri d'émerveille-
ment autant que d'effroi : « Je sens que, le microscope à la
main, j'entre de plain-pied dans le domaine des Rêves ! ... »

Claire, elle, n'a que faire de ces moyens imparfaits.
Les « bésicles couleur d'azur » qui protègent ses yeux
malades ne sont pas des instruments, mais des masques.
La cécité qui lui voile peu à peu les « lumières » du monde
inférieur n'est que l'envers d'une clarté nouvelle, et c'est
justement lorsque cette illumination sera, au dernier chapitre, achevée, que Claire pourra, dans un suprême sursaut, tordre ses lunettes et briser leurs verres entre ses
mains ensanglantées. Toute l'histoire de la nouvelle est,
pour Claire, celle d'une conversion au surnaturel, *par les
yeux*. C'est ce qui rend à ce point effrayante, pour Bonhomet, la vue de ce regard « si vitreux, si interne », qui a
« le froid de la pierre ». Les yeux de Claire, comme ceux
de Méduse, sont terrifiants parce qu'ils manifestent la
présence, parmi les hommes, d'une inhumanité radicale.
C'est leur apparition répétée, et jusqu'au dernier mot du
texte, qui donne à la nouvelle sa véritable tension dramatique. C'est aussi dans ces objets symboliques, plutôt que
dans le contenu philosophique et dans une métaphysique

finalement bien conventionnelle, qu'il faut trouver le véritable pouvoir d'évocation fantastique d'un texte souvent trop démonstratif. Tout comme la *Bérénice* de Poe est le conte halluciné des dents, *Claire Lenoir,* avec la même force, affirme, dans l'esprit de plus en plus vacillant de Bonhomet, l'obsession terrible, inévitable, des *Yeux*.

Nous sommes loin, ici, du savant grotesque et borné dont Villiers voulait faire la représentation archétypique du bourgeois, afin, écrivait-il à Mallarmé dans une lettre de 1867, de « l'assassiner plus à loisir et plus sûrement ». Ou plutôt, tout en restant la hideuse incarnation d'un type social détesté, Bonhomet se charge bientôt, dans *Claire Lenoir* comme dans *Le Tueur de cygnes,* de significations nouvelles, et qui touchent de plus près à la sensibilité personnelle de l'auteur. Tout se passe comme si Villiers, subjugué par son envahissante créature, en était venu à projeter dans son personnage des angoisses et des obsessions intimes. Frère ténébreux de son créateur, double inséparable et nécessaire, Bonhomet représente l'attrait morbide et fascinant de la laideur spirituelle. Cette incarnation du Mal absolu est peut-être, dans la création imaginaire de Villiers, la figure la plus inquiétante et la plus chère. Ce n'est pas du côté de Joseph Prudhomme qu'il faut aller chercher des points de comparaison, mais du côté de Flaubert et de Jarry : comme le Garçon, comme Ubu, mais de façon plus achevée encore, l'éternel Bonhomet nous fournit un curieux exemple, le meilleur peut-être, d'un esprit de dérision tourné aussi bien contre soi-même que vers autrui, et qu'on pourrait, sans nuance péjorative aucune, appeler masochisme intellectuel. Cette ambiguïté profonde, en révélant, au-delà d'un idéalisme de convention et d'un occultisme de surface, la présence d'une conscience douloureuse, nous rapproche de l'auteur, de ses rêves et de ses angoisses. Elle n'est pas loin de faire, à nos yeux, le plus grand prix de *Claire Lenoir*.

Les contes que nous réunissons à la suite de *Claire Lenoir* n'avaient jamais été regroupés ainsi par Villiers lui-même, et cette anthologie pourra paraître contestable. Les seuls critères qui aient guidé notre choix sont ceux de la qualité littéraire des textes proposés et de leur représentativité : nous avons cherché à ce que tous ces contes illustrent, de façon aussi variée et complète que possible, cette notion centrale d'insolite, essentielle pour comprendre l'œuvre de Villiers. Ce choix n'échappera certes pas aux reproches d'arbitraire et de subjectivité. Il se justifie pourtant, croyons-nous, et pour plusieurs raisons. Tout d'abord, la plupart des contes rassemblés ici l'avaient déjà été par leur auteur en 1888 dans le recueil des *Histoires insolites :* c'est le cas du *Jeu des grâces,* des *Phantasmes de M. Redoux,* de *L'Héroïsme du docteur Hallidonhill,* de *Ce Mahoin!,* de *L'Agrément inattendu,* de *Conte de fin d'été,* des *Délices d'une bonne œuvre,* de *L'Inquiéteur,* et des *Amants de Tolède.* Les contes empruntés aux *Histoires insolites* forment donc le noyau central de notre recueil et assurent son équilibre. D'autre part, tous les textes regroupés ici, si l'on excepte *Claire Lenoir,* ont été composés et publiés dans un espace de cinq ans, du 23 octobre 1883 pour *Le Secret de l'échafaud,* au 17 novembre 1888 pour *L'Étonnant Couple Moutonnet.* Mieux encore, si l'on met à part *Le Secret de l'échafaud* et *Catalina,* les douze autres contes rassemblés ont été publiés entre 1886 et 1888, en moins de deux ans et demi. La brièveté de cette période, qui est aussi celle de la maturité de Villiers, est un gage de cohérence : elle garantit l'unité d'un recueil dans lequel s'expriment les mêmes idées, les mêmes obsessions, la même vision du monde.

Villiers a placé la composition de ses contes sous le signe de quelques idées fondamentales, comme en témoignent les titres qu'il a donnés, ou projeté de donner, à ses recueils : *Histoires moroses* (c'était, en 1867, dans la *Revue des Lettres et des Arts,* le surtitre de *Claire Lenoir*), *Contes cruels, Contes au fer rouge, Histoires mystérieuses, Histoires énigmatiques.* Ce qui domine la création littéraire de Villiers dans ses contes, ce sont les notions essentielles de morosité, de cruauté, de mystère. Villiers, en fait, ne s'est jamais complètement dégagé de l'influence d'Edgar Poe, revendiquée dès septembre 1866 dans une lettre à Mallarmé. Mais son originalité apparaît davantage dans une idée différente, qui inspire en 1888 le titre d'un de ses plus importants recueils, celle d'insolite. C'est cette idée, centrale dans l'œuvre, et encore peu étudiée, qu'il faut tenter de cerner ici.

Pour donner des choses et des êtres une image nouvelle, il faut d'abord les examiner avec le plus grand soin. Une vision *insolite* du monde commence par une attention précise au réel, et jusque dans son détail. C'est un des paradoxes de Villiers, que cet écrivain si souvent qualifié de rêveur, et dont la rupture avec le siècle a été si longtemps considérée comme exemplaire, soit aussi l'un des plus attentifs aux idées, aux modes, aux événements de son temps. *L'Ève future* ne se comprendrait pas, sans l'Exposition de 1878 qui lui a donné naissance, et il y a, dans *Claire Lenoir,* bien des emprunts à la réalité contemporaine, à commencer par le ressort dramatique essentiel de la nouvelle, celui de la persistance de l'image rétinienne, dont J. Bollery a montré qu'il fut suggéré à Villiers par la lecture d'un entrefilet paru en 1863 dans *Le Publicateur des Côtes-du-Nord.* C'est naturellement dans les contes, plus directement liés à l'actualité, que cette curiosité pour le réel doit le plus facilement se reconnaître. L'idée du *Jeu des grâces* vient certainement d'une publicité pour « de nouvelles couronnes funèbres inoxydables, obtenues par le procédé galvanoplastique », que Villiers avait aperçue dans quelque journal. *Le Secret de l'échafaud* a été inspiré par les « exécutions récentes » qui venaient d'avoir lieu en septembre et octobre 1883, et ce conte prouve que Villiers était fort au courant des controverses scientifiques soulevées au XIXe siècle par l'usage de la guillotine. *Les Phantasmes de M. Redoux,* pour lesquels Villiers puise sans doute dans les souvenirs d'un voyage à Londres, contiennent une allusion précise à la mort du comte de Chambord, et des références à la situation politique dans la France républicaine de l'après-16 mai.

On pourrait multiplier ces exemples : ils montrent à l'évidence que l'insolite ne se construit pas en dehors du réel, mais à partir de lui. Ce que propose le conteur, ce n'est pas, comme dans le genre fantastique, une fuite ou une transgression de l'univers quotidien, mais, à partir de celui-ci, un *écart,* une distance, un déplacement narquois du point de vue. Alors que le fantastique impose toujours, plus ou moins, une rupture avec la réalité, l'insolite s'accommode de ce réel, il y puise ses sources d'inspiration, il le recherche, non pour le reproduire et se soumettre à lui, mais pour en donner une image neuve, différente de nos habitudes mentales et sociales, et par là souvent plus juste et plus vraie.

Il ne faudrait pas cependant réduire l'insolite à une sorte de réalisme ironique. S'il n'y a pas rupture avec le monde réel, il y a du moins irruption dans l'univers de la banalité quotidienne d'une dimension nouvelle, qu'on pourrait appeler, au sens presque surréaliste du terme, celle du merveilleux. Les deux célibataires de *Conte de fin d'été,* qui se promènent bourgeoisement au crépuscule sur le cours solitaire de leur petite ville, ont, le soir, par tables tournantes, des rendez-vous galants avec les grandes amoureuses de jadis. Les belles actions généreuses, dans les ruelles désertes de Ville-d'Avray, amènent parfois, comme dans *Les Délices d'une bonne œuvre,* à de surprenantes aventures. Une visite au musée Tussaud, dans *Les Phantasmes de M. Redoux,* conduit un honorable représentant de la majorité républicaine à passer une nuit imprévue. Et *Le Jeu des grâces* nous enseigne un usage pour le moins ñouveau, encore que plaisant, des couronnes mortuaires. Ici aussi, les exemples abondent. Une imagination perpétuellement inventive s'empare des lieux et des objets de notre existence quotidienne, les transforme, à notre surprise et souvent pour notre plaisir. L'insolite est une école, il nous apprend à voir *autrement,* il renouvelle notre expérience du monde.

Mais l'insolite ne se limite pas ici à une esthétique de la surprise. Il s'y ajoute une note personnelle, plus profonde, faite de cette cruauté qui a toujours caractérisé, pour Villiers, la vie morale et sociale. L'insolite, sauf peut-être dans quelques textes de tonalité plus douce ou mélancolique, comme *Conte de fin d'été* ou *L'Agrément inattendu,* sera le plus souvent, pour reprendre une formule de Villiers lui-même, «au fer rouge». Cette cruauté peut revêtir des formes multiples. Elle peut s'exercer aux dépens du narrateur, comme dans *Catalina,* où l'horreur naît, dans une banale chambre d'auberge, de l'irruption terrifiante d'un gigantesque python de la forêt amazonienne. Elle se charge le plus souvent d'une signification morale, lorsqu'elle raille, dans *Le Jeu des grâces,* ces veuves inconsolables «chez qui le sentiment n'exclu[t] pas le très légitime calcul d'une ménagère», lorsqu'elle montre, dans *L'Inquiéteur,* que les douleurs les plus profondes ne résistent pas à un ingénieux stratagème, ou lorsqu'elle nous apprend jusqu'où peuvent aller «les délices d'une bonne œuvre». Elle revêt aussi une portée sociale, lorsqu'elle s'attaque, en la personne de M. Redoux, aux dignes représentants de la bourgeoisie triomphante, ou lorsqu'elle vise, à travers le docteur Hallidonhill, cette science trop positive qui n'hésite pas, selon la formule prêtée à Broussais, à «tuer pour guérir!» Si l'insolite s'allie aussi étroitement à la cruauté, c'est que celle-ci en est la condition quasi nécessaire, et pour ainsi dire la forme morale. Seule la cruauté est capable d'opérer ce déplacement de point de vue d'où naîtra, dans le regard plus que dans la chose regardée, le véritable insolite. Elle renouvelle notre rapport à l'existence et aux êtres, elle lève les masques, fait éclater les conventions de tous ordres, les bons sentiments, toutes les hypocrisies. Elle est révulsive et tonique, elle apprend à voir clair. Il y a une hygiène de la cruauté.

Mais, en même temps, la cruauté occupe dans la création de Villiers une place trop importante pour qu'on la réduise à être l'instrument d'une démonstration ou la condition d'une ascèse. Il ne s'agit plus ici d'une notion abstraite, mais d'une obsession profonde. Ce n'est pas seulement l'intelligence de Villiers qui est en cause : cette cruauté vient de plus loin, des ténèbres mêmes de l'inconscient. C'est ce qui explique l'étonnante fascination exercée sur l'imagination de Villiers par la guillotine, dont la grande ombre domine *Les Phantasmes de M. Redoux, Le Secret de l'échafaud, Ce Mahoin!* et *L'Étonnant*

Couple Moutonnet. Cette curieuse obsession, dont on relèverait ailleurs chez Villiers bien d'autres traces (et surtout, parmi les *Contes cruels,* dans *Le Convive des dernières fêtes*) nous livre une des clefs de son imaginaire. La guillotine, objet technique appliqué à une fin métaphysique, machine à donner la mort, apparaît ici comme une cristallisation de la cruauté. Instrument construit de main d'homme, grandiose acteur d'une cérémonie funèbre où l'homme organise, appelle et célèbre ce que Villiers, dans *L'Amour suprême,* appelle « l'instant de Dieu ». La cruauté, enfin, se fait connaissance de l'au-delà.

Il n'est pas étonnant, dans ces conditions, que le sadisme soit une des composantes essentielles de la sensibilité de Villiers. Sadisme cérébral et froid, explicitement placé sous l'invocation de Poe, dans *La Torture par l'espérance.* Sadisme plus subtil dans *Les Amants de Tolède,* teinté, comme l'a montré André Lebois, de morale baudelairienne : les choses de l'amour y présentent, comme dans *Fusées,* « une grande ressemblance avec la torture ou avec une opération chirurgicale ». Sadisme plus brutal enfin dans *L'Étonnant Couple Moutonnet,* plus grossièrement érotisé, mais qui montre que Villiers, comme Baudelaire avant lui, n'avait pas attendu le développement de la psychanalyse pour avoir l'intuition des liens qui unissent la sexualité et l'instinct de mort. Ainsi, le sadisme n'est ici nullement gratuit. Ce n'est pas une pose, une affectation de cruauté raccrocheuse. Villiers n'est pas touché non plus, comme le sera plus tard l'esprit fin de siècle, par le démon de la perversité. Le sadisme prend chez lui une signification métaphysique et chrétienne. Ce qu'il exprime, dans un monde livré aux forces du mal, c'est la violence nécessaire des rapports humains. Dans les choses de l'amour comme dans celles de l'esprit, chacun est condamné à souffrir ou à faire souffrir, à être victime ou bourreau. La sagesse de Torquemada, dans *Les Amants de Tolède,* est d'avoir compris que le bonheur est un leurre, et que le seul recours ici-bas est dans le renoncement, la solitude et la contemplation. Le sadisme apparaît alors, non comme une fin, mais comme un moyen : il montre le chemin du ciel.

Mais il serait encore inexact de réduire l'insolite et la cruauté à n'être ici que de simples instruments d'édification. Ce qui fait l'originalité des contes insolites n'est pas dans la morale ou dans l'idée, mais dans un ton caractéristique où se reconnaît la meilleure peut-être des qualités de Villiers, celle qui à coup sûr assurera la pérennité de son œuvre et la perpétuation de ses fidèles : l'humour. Un humour particulier certes, et même parfois déroutant, mais qui donne aux textes de Villiers leur saveur inimitable. C'est là que nous nous séparons définitivement du fantastique, qui exige un esprit de sérieux total, une entière adhésion à la chose racontée. C'est ici aussi que Villiers se distingue de ses maîtres, Baudelaire et Poe, chez qui le sentiment tragique de la vie n'engendre qu'une ironie douloureuse. L'humour de Villiers ne se laisse pas aisément définir tant il est, lui aussi, hors des normes. Il est fait, certes, d'ironie, et l'esprit mordant de Villiers combat toutes les idées reçues, toutes les formes de convention. Mais il est encore différent, et plus proche de ce qu'au siècle suivant on appellera l'humour noir. Cet humour est proche de l'absurde (voir Bonhomet) ; il s'attaque volontiers aux choses sacrées, la mort (voir *L'Inquiéteur*), l'amour (voir *Les Amants de Tolède*), la piété filiale (voir *Le Jeu des grâces*). Il naît de la surprise, de la rupture, d'une chute finale (ainsi à la fin de *Ce Mahoin!*). Il agace, il dérange. Son expression la plus typique se trouve peut-être dans *Les Délices d'une bonne œuvre* où l'héroïne, égarée par les fumées de la bonne conscience, s'aperçoit trop tard qu'au moment où elle croit goûter « les secrètes ivresses de l'apothéose », elle s'est livrée à la « possessive étreinte » de son trop entreprenant obligé.

Il faut prendre garde à l'importance de cet humour si particulier. Il n'est ni décoratif ni seulement distrayant. Ce qu'il postule, fondamentalement, c'est une attitude de défense devant une existence considérée comme hostile. Il est, contre l'envahissement des forces de la bêtise et du mal, contre le triomphe de tous les Bonhomet de la modernité, le dernier recours, la dernière énergie. André

Breton, en accueillant Villiers dans son *Anthologie de l'humour noir,* ne s'y est pas trompé. Nul peut-être mieux que l'auteur du *Tueur de cygnes* n'a su découvrir, au-delà des épanchements romantiques, une sensibilité nouvelle, une forme de désespoir actif, qui est l'humour. Sans lui, comprendrait-on Jarry ? Ainsi, Villiers nous apparaît à la lumière de ses contes « insolites », curieusement plus proche des Surréalistes que des Romantiques, auxquels on a trop souvent voulu le rattacher. Ce n'est pas une mauvaise compagnie.

Jacques NOIRAY.

CLAIRE LENOIR

MÉMORANDUM DU DOCTEUR TRIBULAT BONHOMET
MEMBRE HONORAIRE DE PLUSIEURS ACADÉMIES
PROFESSEUR AGRÉGÉ DE PHYSIOLOGIE
TOUCHANT
LE MYSTÉRIEUX CAS DE DISCRÈTE ET SCIENTIFIQUE
PERSONNE
DAME VEUVE CLAIRE LENOIR

A

MES ILLUSTRES CONTEMPORAINS

T.B.

Espèce - métonymie.
            ↑ métaphorisation
                ↑ archétype

Impossibilité de raconter.
  s'oppose au réalisme.

cf le mort. On ne voit que ds le rêve

«*Non mœchaberis,*»
Moïse [1].

CHAPITRE PREMIER

PRÉCAUTIONS ET CONFIDENCES

Touched with pensiveness...
Thomas de Quincey [2].

« La chaîne des événements ténébreux que je vais prendre sur moi de retracer (malgré mes cheveux blancs et mon dédain de la gloriole), me paraissant comporter une somme d'horreur capable de troubler de vieux hommes de loi, je dois confesser, *in primis,* que si je livre ces pages à l'impression, c'est pour céder à de longues prières d'amis dévoués et éprouvés. Je crains même d'être, plus d'une fois, dans la triste nécessité d'atténuer, — (par les fleurs de mon style et les ressources d'une riche faconde), — leur hideur insolite et suffocante.

Je ne pense pas que l'Effroi soit une sensation universellement profitable : le trait d'un vieil insensé ne serait-il pas de la répandre, à la volée, à travers les cerveaux, mû par le vague espoir de bénéficier du scandale ? Une découverte profonde n'est pas immédiatement bonne à lancer, au pied levé, parmi le train des pensées humaines. Elle demande à être mûrement digérée et sassée [3] par des esprits préparateurs. Toute grande nouvelle, annoncée sans ménagements, peut alarmer, souvent même affoler bon nombre d'âmes dévotieuses, surexciter les facultés

caustiques des vauriens, et réveiller les antiques névroses
de la Possession, chez les timorés.

Bien est-il vrai, cependant, que faire penser est un
devoir[4] qui prime bien des scrupules!... Tout pesé, je
parlerai. Chacun doit porter en soi son *aliquid inconcus-
sum*[5]! — D'ailleurs, mon siècle me rassure; pour quelques esprits faibles que je puis atteindre, il est de nombreux esprits forts que je puis édifier. J'ai dit « esprits
forts » et je ne parle pas au hasard. Quant à la véracité de
mon récit, personne, je le parierais, ne la plaisantera
outre mesure. Car, en admettant, même, que les faits
suivants soient radicalement faux, la seule idée *de leur
simple possibilité* est tout aussi terrible que le pourrait
être leur authenticité démontrée et reconnue. — Une fois
pensé, d'ailleurs, qu'est-ce qui n'arrive pas un peu, dans
le mystérieux Univers?

J'ai dit « mystérieux » et non « problématique » : et
(qu'il me soit permis de le répéter), je ne parle pas au
hasard.

Oiseuses seraient toutes digressions, crayonnées à la
hâte et sans critère, sur ce sujet.

Maintenant, — puissent mes Lecteurs en être bien per-
suadés! — ce ne sont pas des lauriers purement « littéraires » que je brigue. En vérité, s'il est un objectif, un
non-moi que je méprise au-delà même des expressions
licites à la langue d'un mortel élégant, je puis bien dire
que ce sont les « Belles-Lettres » et leurs suppôts!

— Foin!

Réduit à me présenter moi-même au Public, n'est-il
pas urgent de me décrire tel que je suis, une fois pour
toutes, au moral et au physique?

J'ai perdu, sans fruit, une partie de mon intelligence à
me demander pourquoi les êtres qui m'ont vu pour la
première fois ont pris des figures convulsées par le rire et
des attitudes désolantes. Mon aspect, sans me vanter,
devrait, au contraire, j'imagine, inspirer des pensées, par
exemple, comme celle-ci : « Il est flatteur d'appartenir à
une espèce dont fait partie un pareil individu!... »

Physiquement, je suis ce que, dans le vocabulaire
scientifique, on appelle : « un Saturnien de la seconde

époque [6] ». J'ai la taille élevée, osseuse, voûtée, plutôt par fatigue que par excès de pensée. L'ovale tourmenté de mon visage proclame des tablatures [7], des projets ; — sous d'épais sourcils, deux yeux gris, où brillent, dans leurs caves, Saturne et Mercure [8], révèlent quelque pénétration. Mes tempes sont luisantes à leurs sommets : cela dénonce que leur peau morte ne boit plus les convictions d'autrui : leur provision est faite. — Elles se creusent, aux côtés de la tête, comme celles des mathématiciens. Tempes creuses, creusets ! Elles distillent les idées jusqu'à mon nez qui les juge et qui prononce. Mon nez est grand, — d'une dimension même considérable, — c'est un nez à la fois envahisseur et vaporisateur. Il se busque, soudain, vers le milieu, en forme de cou-de-pied, — ce qui, chez tout autre individu que moi, signalerait une tendance vers quelque noire monomanie. Voici pourquoi : le Nez, c'est l'expression des facultés du raisonnement chez l'homme ; c'est l'organe qui précède, qui éclaire, qui annonce, qui sent et qui indique [9]. Le nez visible correspond au nez impalpable, que tout homme porte en soi en venant au monde. Si donc, dans le cours d'un nez, quelque partie se développe, imprudemment, au préjudice des autres, elle correspond à quelque lacune de jugement, à quelque pensée nourrie au préjudice des autres. Les coins de ma bouche pincée et pâle ont les plissements d'un linceul. Elle est assez rapprochée du nez pour en prendre conseil avant de discourir à la légère et, suivant le dicton, comme une corneille qui abat des noix [10].

Sans mon menton, qui me trahit, je serais un homme d'action ; mais un Saturne sénile, sceptique et lunatique, l'a rentré comme d'un coup de faux. La couleur et la qualité de mon poil sont dures comme celles de mes pairs en contemporanéité symbolique [11]. Mon oreille, finement ourlée et longue comme celle des Chinois, notifie mon esprit minutieux.

Ma main est stérile ; la Lune et Mercure s'en disputent les bas-fonds [12] ; mon grand médium noueux, spatulé, chargé de ratures à sa deuxième phalange, les laisse faire, en son nonchaloir. L'horizon de ma main [13] est brumeux et triste ; des nuages, formés par Vénus et Apollon [14], en

ont rarement [15] brouillé le ciel; la volonté de mon pouce
repose sur un mont hasardeux [16]. C'est là que Vénus
indique ses velléités. La paume, seule, est positive
comme celle d'un manœuvre : les doigts peuvent se re-
plier en dessus, comme ceux des femmes, avec une
certaine coquetterie qui sent de plusieurs stades sa parfaite éducation. Je suis, d'ailleurs, le fils unique du petit
docteur AMOUR BONHOMET, si connu par ses mornes
aventures dans les Mines [17].

Depuis que je me connais j'ai toujours porté le même
genre de vêtements, approprié à ma personne et à ma
démarche. Savoir : un feutre noir, à larges bords, à l'imitation des quakers et des poètes lakistes [18]; une vaste
houppelande fermée et drapée sur ma poitrine, comme
mes grandes phrases le sont habituellement sur ma pensée; une vieille canne à pomme de vermeil; un volumi-
neux solitaire, — diamant de famille, — à mon doigt de
Saturne [19]. Je rivalise avec les vieillards de roman pour la
précieuse finesse et la délicieuse blancheur de mon linge;
j'ai l'honneur de posséder les pieds mêmes du roi
Charlemagne dans mes bottes Souwaroff, avec lesquelles
je méprise bien le sol; j'ai presque toujours ma valise à la
main, car je voyage plus qu'Ahasvérus [20]. *A moi seul j'ai
la physionomie de mon siècle, dont j'ai lieu de me croire
l'ARCHÉTYPE.* Bref, je suis docteur, philanthrope et
homme du monde.

Ma voix est tantôt suraiguë, tantôt (spécialement avec
les dames) grasse et profonde : le tout sans transition, ce
qui doit plaire. — Rien ne me rattache à la société, ni
femmes, ni parents d'aucune espèce, — j'en ai, du moins
l'espérance; — mon bien est en viager : j'entends le peu
qui me reste. Ma carte de visite est ainsi conçue :

LE DOCTEUR

TRIBULAT BONHOMET

EUROPE

Voici maintenant mes particularités morales :

moral

Les mystères de la science positive ont eu, depuis l'heure sacrée où je vins au monde, le privilège d'envahir les facultés d'attention dont je suis capable, souvent même à l'exclusion de toute préoccupation humaine. Aussi les infiniment petits, les *Infusoires,* comme les a nommés Spallanzani [21], mon maître bien-aimé, furent, dès l'âge le plus tendre, le but et l'objet de mes recherches passionnées. J'ai dévoré, pour subvenir aux nécessités de mes profondes études et de mes agissements, le patrimoine énorme que m'avaient légué mes ancêtres. Oui, j'ai consacré les fruits mûrs de leurs sueurs séculaires à l'achat des lentilles et des appareils qui mettent à nu les arcanes d'un monde momentanément invisible !

J'ai compilé les nomenclatures de tous mes devanciers. *Non est hic locus* [22] de s'appesantir sur les lumières que j'ose croire y avoir apportées ; la postérité délivrera son verdict à ce sujet, si jamais je lui en fais part. Ce qu'il est important de constater, c'est que l'esprit d'*analyse,* de *grossissement,* d'*examen minutieux* est tellement l'essence de ma nature, que toute la joie de vivre est confinée pour moi dans la classification précise des plus chétifs ténébrions [23], dans la vue des enchevêtrements bizarres, pareils à une écriture très ancienne, que présentent les nerfs de l'insecte, dans le phénomène du raccourci des horizons, qui demeurent immenses selon les proportions de la rétine où ils se reflètent !... La réalité devient alors visionnaire — et je sens que, le microscope à la main, j'entre de plain-pied dans le domaine des Rêves !...

Mais je suis jaloux de mes découvertes et je me cache profondément de tout cela. Je hais les profanes, les squalides [24] profanes, jusqu'à la mort. Lorsqu'on me questionne à ce sujet, JE FAIS LA BÊTE. Je m'efforce de passer pour un chiragre [25] ! Et je concentre mes délices en songeant comme j'assombrirais les visages si je disais ce que mes instruments m'ont laissé entrevoir de surprenant et d'inexploré !... Laissons cela ; j'en ai peut-être déjà trop dit...

Mes idées religieuses se bornent à cette absurde conviction que Dieu a créé l'Homme et réciproquement [26].

Nous sortons d'*on ne sait quoi* : la Raison n'est que douteuse. J'ajouterai, pour être franc, que la Mort m'étonne encore plus que sa triste Sœur ; c'est, vraiment, la bouteille à l'encre !... En elle, tout doit résulter, nécessairement, *d'un mode de logique inverse* de celui dont nous nous satisfaisons, en grommelant, dans le « *decursus vitæ* [27] » et qui n'est évidemment que provisoire et local.

Quant aux *fantômes,* je suis peu superstitieux ; je ne donne pas dans les insignifiantes balivernes des *intersignes* [28], à l'instar de tant d'hurluberlus, et je ne crois pas aux singeries frivoles des morts ; entre nous, cependant, je n'aime pas les cimetières ni les lieux trop sombres — ni les gens qui exagèrent !... Je ne suis qu'un pauvre vieillard, mais si Pluton m'avait fait naître sur les marches d'un trône, et s'il suffisait, à présent, d'un mot de moi pour que s'opérât le parfait carnage de tous les fanatiques, je le prononcerais, je le sens, « en pelant un fruit », comme dit le poète.

Néanmoins, — je suis forcé de l'avouer, — je suis sujet à un mal héréditaire qui bafoue, depuis longtemps, les efforts de ma raison et de ma volonté ! Il consiste en une *Appréhension,* une ANXIÉTÉ sans motif précis, une AFFRE, en un mot, qui me prend comme une crise, me fait savourer toute l'amertume d'une inquiétude brusque et infernale, — et cela, le plus souvent, à propos de futilités dérisoires !

N'est-ce pas de quoi grincer des dents, que de se sentir l'âme empoisonnée aussi mortellement que voilà ? Cela me confond quand j'y songe.

Étant un esprit cultivé, je me rends facilement le compte le plus clair de toutes choses : mais, — c'est singulier ! — j'ai beau m'expliquer, par exemple, en acoustique, — et même, en physique, à l'aide de deux extrêmes soudains du froid et du chaud, — le bruit du vent, — eh bien ! quand j'entends le Vent, j'ai peur. Aux mille tressaillements du Silence — produits par les causes les plus simples, — je deviens livide.

Toutes et quantes fois que l'ombre d'un oiseau passe à mes pieds, je m'arrête, et, posant par terre ma valise, je

m'essuie le front, voyageur hagard! Alors je reste oppressé sous le poids d'une inquiétude nerveuse, — pitoyable! — du ciel et de la terre, des vivants et des morts.
— Et, malgré moi, je me surprends à vociférer: — Oh!
oh! que peut signifier ce caravansérail d'apparitions, tenant leur sérieux, pour disparaître incontinent? — L'univers est-il oiseux?... L'univers dévorateur — chaîne indéfinie où les pieds de l'un craquent entre les mâchoires
de l'autre — est-il destiné lui-même à la voracité de
quelque Eon [29]? Quel sera son ver de terre? Réponds-
moi, bruit du vent, oiseau qui passe!... et toi qui le sais, ô
Silence!

Telles sont les lubies inconcevables, jaculatoires, poétiques et, par conséquent, grotesques, qui me hantent et
qui troublent la lucidité de mes idées. C'est une simple
maladie; — je suis un angoisseux. Je me suis traité par
les douches, le quinquina, les purgatifs, les amers et
l'hydrothérapie; — je vais mieux, beaucoup mieux! —
Je commence à me rassurer et à reconnaître que le Progrès n'est pas un rêve, qu'il pénètre le monde, l'illumine
et, finalement, nous élève vers des sphères de choix,
seules dignes des élans mieux disciplinés de nos intelligences. Cela ne fait plus question, aujourd'hui, pour les
gens de goût.

J'ai bien encore quelque accès!...

Dans le monde, je dissimule cette émotion par bon ton.
S'il m'arrive, dans quelque raout, de deviser trop longtemps avec une dame, à un moment donné, elle ne sait
pas, — non, heureusement, je le vois dans ses yeux! —
elle ne sait pas qu'à l'instant même où je laisse fondre, en
souriant, un bonbon innocent de ma joue droite à ma joue
gauche, avec un bruit tendre et sirupeux et en traitant les
autres de «fanatiques», elle ignore, dis-je, qu'à ce moment-là même, — un minuit ébranle en moi des glas
rouillés, profonds, lugubres! *et que ce Minuit-là sonne
plus de douze coups!*

Maintenant, j'ai une manie, adoptée depuis des années
comme voile de mes travaux préférés.

Elle me permet d'aller dans les Sociétés, d'y confabu-
ler avec les hommes, les femmes et les petits enfants et

d'en être bien accueilli. J'ose à peine la nommer, tant je
redoute une raillerie déplacée : je veux parler de la manie
de *Faire des mariages*. La brochette de mes décorations
ne provient pas d'une autre source.

Voici pourquoi j'ai adopté cette manie : c'est extrême-
ment simple.

Et, d'abord, disons mon faible pour Voltaire, ce créateur de *Micromégas* (page immortelle), où bon nombre de
mes innombrables découvertes sont, pour ainsi dire, pres-
senties. Toutefois, mon admiration pour ce précieux écrivain n'est pas servile ; chacun doit chercher, en effet, à se
développer par lui-même, au mépris profond de ses maîtres et de tous ceux qui l'ayant élevé, ont cherché à lui
inculquer leurs idées propres. — Ce que j'estime dans
Voltaire, c'est cette habileté vantée dans Pozzo di
Borgo [30] et dans Machiavelli, — mes maîtres bien-
aimés, — qui consiste à fouler aux pieds tout respect de
son semblable sous les dehors d'un dévouement humble
jusqu'à l'obséquiosité. Parfaites apparences dont le terme
suprême serait de rendre réellement service ! Je recom-
mande, en passant, cette manière d'entendre la charité.
C'est la seule digne d'être appelée sérieuse : elle sert à
cacher ses occupations réelles. — Or, je ne me soucie pas
qu'on sache que je m'adonne, corps et âme, aux *Infusoires,* moi ! Les visites, les questions, les consultations et
les compliments m'empêcheraient d'apporter la concen-
tration désirable dans mes vertigineux travaux. — D'autre part, comme il faut bien *que je parle,* quand il m'arrive d'être en quelque société, je m'empresse de parler à
chacun de ce qui doit le préoccuper le plus — afin d'éviter toute question sur la nature de mes investigations
scientifiques : — et n'est-ce pas, presque toujours, le
mariage de soi ou des siens qui préoccupe le plus les
risibles enfants de la Femme ? Ça tombe sous le sens ! Et
voilà comment, sans grands frais d'imagination je me
suis glissé dans l'intimité de beaucoup de gens ! et comment j'ai fait, — miraculeusement aidé par le Hasard, —
quantité de mariages.

Les unions qui se sont accomplies sous mes auspices
ont été favorisées du Ciel, bien que, maintes fois, dans

ma précipitation, j'aie marié, comme on dit, au pied levé, les uns pour les autres ; — enfin, tout s'est bien passé : — toujours. — Sauf une seule fois ! — Et c'est sur le couple étonnant que j'ai rivé en cette union, que mon but est d'appeler l'attention de tous.

Dois-je même affirmer, qu'à tout prendre, il ne fut pas *heureux,* cet hymen, dont la crise définitive, — crise innommable !... — a donné lieu à ma découverte la plus capitale ? Je serais un ingrat vis-à-vis du Destin si j'avais l'impudence de le penser une seconde ! La Science, la véritable Science, est inaccessible à la pitié : où en serions-nous sans cela ? Aussi, — bien que cette affaire ait été pour moi la source d'une ample damnation, — d'une frayeur sans nom qui a bouleversé ma cervelle au point que je sais à peine ce que j'écris, — que j'en suis venu, moi le docteur Bonhomet, professeur de diagnose[31], à douter de ma propre existence — et même de choses beaucoup plus certaines encore à mes yeux, — je maintiens mes opinions sur Voltaire !... Je ne me repens pas !... Je me lave indifféremment les mains d'avoir parachevé cette catastrophe épouvantable ! — Et je me pique d'être encore l'une des plus belles âmes échappées des mains du Très-Haut. Tous les hommes vraiment modernes, tous les esprits qui se sentent « dans le mouvement » me comprendront.

Je vais me borner au rapide exposé des faits, tels qu'ils se sont présentés et classés d'eux-mêmes. Commentera l'histoire qui voudra, je ne la surchargerai d'aucunes théories scientifiques : ainsi son impression générale dépendra des proportions intellectuelles fournies par le Lecteur.

CHAPITRE II

SIR HENRY CLIFTON

> « La ville, estompée par la brume et les mol-
> les lueurs de la nuit, me représentait la terre,
> avec ses chagrins et ses tombeaux, — situés
> loin derrière, mais non totalement oubliés ! »
> THOMAS DE QUINCEY *(Confessions* [32]*)*.

Vers la fin du mois de juillet 1866, à l'issue d'un dîner de gala que nous avait offert le capitaine du brick de commerce anglais le *Wonderful* [33], faisant voile pour les côtes de Bretagne, je liai conversation, en prenant le café, avec mon voisin de table, le lieutenant Henry Clifton ; c'était un homme d'une trentaine d'années, d'une figure ombrée du hâle des hommes de mer. L'expression de ses traits réguliers m'était sympathique et sa réserve habituelle le rendait sociable pour moi.

Ce soir-là, dis-je, nous liâmes conversation, car les quelques rapports de causerie, d'officier de marine à simple passager, avaient été fort succincts, entre nous, depuis le commencement de la traversée. Nous venions des côtes d'Irlande et, plongé dans l'étude de mes chers infusoires, j'étais resté, la plupart du temps, à fond de cale, expérimentant les vieilles saumures.

Nous échangeâmes quelques paroles touchant notre arrivée à Saint-Malo, fixée au lendemain ; puis, — les fumées du vin et des lumières nous ayant suffisamment troublé l'esprit, — nous montâmes respirer sur le tillac où nous allumâmes nos cigares.

Je m'étais abstenu, durant le banquet, de me mêler à la discussion politique — (toujours si animée en ces occasions), — qui avait éclaté, naturellement, aux entremets.

Ce genre de discussions ne me paraît intéressant qu'avec les dames.

Hé ! qui serait, alors, insensible à leurs fins sourires, à leurs exclamations intempestives et gracieuses, à leur air entendu, aux louables efforts de leurs prunelles pour paraître pénétrantes, inquiètes, surprises, etc. !... Je le répète : la discussion politique avec les dames est une chose captivante et qui donne à songer.

Afin de mériter leur estime et leur confiance, ma physionomie devient alors plus bienveillante, plus paternelle, plus tendre que de coutume ! et je leur débite gravement, en baissant les yeux, les absurdités les plus révoltantes, que mes cheveux blancs font vénérer. De sorte que mes moindres paroles font foi près du sexe enchanteur.

Du reste, la conversation politique serait tout aussi amusante avec le sexe fort si celui-ci savait y apporter la grâce et l'enjouement désirables ; — car je n'ai jamais entendu personne rien prévoir de vraiment sérieux en fait d'événements.

Sir Henry Clifton, lui aussi, n'avait pas desserré les lèvres ; ce qui fait que j'avais de lui une haute opinion : rien ne me paraissant plus difficile que le silence à son âge. En politique, il devait, présumai-je, partager mes idées, et je puis les notifier ainsi :

Par tout pays, tout citoyen, digne de ce nom, dispose, entre ses travaux et ses repas, d'environ trois heures de loisir par jour. Il comble, à l'ordinaire, ces moments de répit à l'aide d'une petite causerie, digestive et innocente, sur les affaires de sa patrie. Or, *s'il ne se passe rien de marquant ni de « grave »*, sur quoi pourra-t-il fonder sa discussion ? — Il s'ennuiera, faute de sujet d'entretien : — et l'ennui des citoyens est fatal presque toujours aux chefs des États. Le bras est près de fonctionner quand la langue est oisive, et, comme il faut remplir les trois heures précitées, le causeur d'hier devient l'émeutier d'aujourd'hui. Voilà le triste secret des révolutions.

Il me paraît donc du devoir de tout bon gouvernement de susciter, le plus souvent possible, des guerres, des épidémies, des craintes, des espérances, des événements de tout genre (heureux ou malheureux, peu importe), des choses, enfin, capables d'alimenter la petite causerie innocente et digestive de chaque citoyen.

Après vingt, trente, quarante années de *qui-vive!* perpétuel, les rois ont détourné l'attention : ils ont régné tranquillement, se sont bien amusés, et tout le monde est content. Voilà, selon moi, l'une des définitions principales de la haute diplomatie : occuper l'esprit des citoyens, à quelque prix que ce soit, afin d'éviter soi-même toute attention, quand on eut l'honneur de recevoir des mains de Dieu la mission de gouverner les hommes. Et Machiavelli, — mon maître bien-aimé — (je pleure en prononçant ce nom), — n'a jamais trouvé une formule plus nette que celle-là. On conçoit donc mon indifférence pour les événements, les soudainetés politiques et les complications des cabinets de l'Europe ; je laisse l'intérêt des controverses qu'ils suscitent à des esprits cariés par une soif natale de perdre le temps.

Je louai donc *in petto* sir Henry Clifton pour sa réserve et pour sa manière silencieuse de boire.

Sir Henry Clifton était vraiment dans un état plus prononcé que le « gris d'officier [34] » ; il possédait la couleur complémentaire, et je vis que le chapitre approchait des expansions sentimentales.

Moi, j'avais tout mon sang-froid, et je guettai ma victime. La nuit était couverte d'étoiles. Le vent nord-ouest fraîchissait et nous poussait doucement ; la lanterne rouge du banc de quart illuminait l'écume et la buée d'argent des flots contre le bois du navire. Par instants les hurrahs du punch des officiers nous parvenaient, à travers l'entrepont, mêlés aux immenses bruits de la houle.

Le voyant silencieux, je craignis une question sur mon genre de vie et — peut-être — sur mes travaux !... J'entamai donc la conversation, suivant mes procédés irrésistibles :

— Oui, tenez, dis-je, mon jeune ami ! Parbleu ! j'ai votre affaire ! Dois-je vous l'avouer ? — J'y songe depuis que j'ai eu le véritable plaisir de vous serrer la main. — (Ici, je baissai la voix en regardant vaguement devant moi comme un homme qui se parle à lui-même) : — C'est là, j'en risquerais la gageure, ce qui vous convient. — Personne capable! — Veuve aventureuse, expérimentée toutefois! — Une belle femme! — Caractère de seconde main! — Fortune, — oh! fortune des *Mille et Une Nuits!*... C'est le mot. — Oui, ajoutai-je, — (et je levai brusquement les sourcils en fixant des yeux ternes sur son épaulette) — oui, c'est là tout à fait votre affaire.

Après une certaine stupeur — prévue :

— Ah! ah! s'écria sir Henry Clifton, en secouant, par contenance, avec son petit doigt, la cendre de son cigare. Ah! ah! L'excellent, le malin docteur! — Du diable, si je comprends!

Ce fut avec mansuétude que je posai la main sur son bras, et que, les yeux absolument noyés dans l'espace céleste, je lui soufflai dans l'oreille :

— Une présentation, sauf obstacle, peut avoir lieu lundi, dans la journée, de une heure à deux — et votre hymen serait perpétré dans les six semaines; du moins, j'engagerais ma pauvre tête à couper ici, sur l'étambot, que je ne fais pas erreur!

Il me prit les mains, tout ébahi : le poisson mordait; j'avais évité les questions scientifiques.

— Je crois comprendre, enfin, — balbutia-t-il après un silence, — que vous me proposez quelque chose comme...

Il s'arrêta par une pudeur dont je lui sus gré.

— Une femme légitime, lieutenant.

— Une femme!... acheva-t-il d'une voix mal assurée et même agitée d'un tremblement.

— Et pourquoi pas, lieutenant? répliquai-je, flairant un mystère; votre métier de marin — (art difficile! noble partie! carrière notable...) — interrompis-je par une habitude machinale — n'est pas incompatible avec un foyer lointain. Il est des nœuds plus doux que ceux... que vous avez l'habitude de filer!... ajoutai-je en souriant agréablement. Toutefois, si vous n'étiez pas disposé, — restons-en là; plus un mot.

Il y eut une pause d'un moment; puis, tout à coup, et comme après réflexion suffisante :

— Monsieur!... me dit-il en se reculant un peu.

Puis, pensant probablement : « c'est un original », et résorbant ses idées :

— Je vous remercie de la bonne volonté, reprit Clifton, et même, docteur, cela mérite une confidence.

Nous y étions. Le Constance allait agir sur le trop impressionnable enfant. Je dressai componctueusement [35] l'oreille.

— Il est douteux, continua-t-il, que nous nous retrouvions jamais. Eh bien ! je refuse vos offres excellentes parce qu'il est une femme dont je n'oublierai jamais les traits tant que mon être durera.

— Ah !... dis-je d'un ton béat : fort bien ! Je comprends ceci : — le contraire même pourrait me surprendre ! ajoutai-je à demi-voix ; mais, permettez-moi de vous le dire :

— (Ici je me levai et je fis de grands gestes de désolation) : — Ah ! c'est dommage ! c'est vraiment dommage !

Ce qu'il y avait de diabolique en moi, c'est que j'ignorais totalement quelle femme je pouvais lui offrir et que ma principale préoccupation était seulement d'éviter toute question relative aux *Infusoires*.

— Et elle est mariée ! murmura sir Henry Clifton, à voix basse, comme à lui-même.

Je sentis mes yeux se mouiller de larmes.

— Puis-je vous être utile ?... lui demandai-je, à tout hasard, avec une tendresse profonde.

Et j'ajoutai lestement, à voix basse :

— C'est que je ne suis pas manchot dans les négociations embrouillées, moi !

Il y eut un moment de silence des plus singuliers, durant lequel je me sentis observé par ce jeune homme. Il balançait, peut-être, entre me souffleter ou m'embrasser. Je savais d'avance que l'interprétation décisive de mes paroles me serait, en ses esprits, favorable.

— Merci, — mon ami, mon vieil ami, — finit-il par articuler d'un ton dont l'émotion violente fut douce à mon âme ; mais la pauvre femme ne doit plus me revoir. — Me revoir ! reprit-il avec amertume ; ses yeux malades ne me reconnaîtraient plus : elle est, sans doute, aveugle en ce moment où je parle ! Oui ! oui, c'en est fait de ses pauvres yeux !...

Et il mit son front, ébriolé [36] sans doute encore, entre ses mains.

A ces mots, j'ôtai avec lenteur mon cigare de ma bouche, — et je jetai, dans l'ombre, à sir Henry Clifton, un coup d'œil horrible : car, — je ne sais pourquoi, vraiment ! — le jeune homme venait de me faire songer à ma belle et étrange amie, — aux *yeux* malheureux de ma digne amie, madame Claire Lenoir.

Je tirai silencieusement ma montre et me levai :

— Au plaisir de vous revoir, mon jeune lieutenant ! m'écriai-je. Vous avez vos secrets : il est des moments où l'on doit préférer la solitude et je sais les respecter...

Il me serra la main sans relever la tête. Je boutonnai bien ma houppelande, à cause du vent, — et je descendis dans ma cabine, abandonnant sir Henry Clifton à ses rêveries, sous la protection et l'inspiration spéciales de la nuit, du vin de Constance et de la mer.

CHAPITRE III

EXPLICATIONS SURÉROGATOIRES [37]

« Ce qui VOIT, en nos yeux, veille et se cache
en deçà du fond de nos prunelles d'argile. »
LYSIANE D'AUBELLEYNE [38].

Je me couchai à la hâte. Mon hamac, balancé par le
tangage, berçait mes réflexions dans l'obscurité : je m'accoudai.

C'était précisément chez les Lenoir que je me propo-
sais de m'arrêter une quinzaine, à mon débarquement.
Une lettre datée de Jersey les avait prévenus ; ils devaient
m'attendre.

Les avais-je revus depuis leurs noces ? depuis plus de
trois années ? — Non, du tout. — J'ai fait pressentir plus
haut, il me semble, que j'avais trempé dans leur mariage :
en effet, durant un assez long séjour que j'avais fait
autrefois dans les Pyrénées, à Luchon, pour ma santé,
j'avais connu la famille de Claire. Intègre et accueillante
famille de négociants, s'il en fut ! — Leur fille unique
était, lorsque les circonstances nous mirent en rapport,
une fort belle personne de vingt ans, je crois, et dont le
genre de beauté séduisait. Elle avait les cheveux châtains ;
la physionomie belle ; le teint d'une blancheur de jade et
d'une transparence parfois presque lumineuse.

L'os frontal était malheureusement assez large, et dé-
celait une capacité cérébrale inutile et nuisible chez une
femme.

Les yeux étaient d'un vert pâle. Des promenades dans
les montagnes et les rochers avaient exposé ses prunelles
— ses grandes prunelles ! — au vent sablonneux et ar-

dent qui vient du Midi. Sa vue, déjà naturellement faible,
s'était profondément altérée, et bientôt le verdict unanime
des médecins l'avait condamnée à une cécité précoce.

Mais, en rêvant un jour à cette similitude de nom qui se
produisait entre les Lenoir, de Luchon, et mon vieux
camarade le docteur Césaire Lenoir, de Saint-Malo,
l'idée me vint que Claire, au lieu de s'appeler mademoiselle, pourrait s'appeler madame Lenoir, sans grande
difficulté.

Pourquoi pas?

J'écrivis sur-le-champ à cet excellent Césaire, qui se
hâta d'accourir à Luchon. Cette coïncidence de nom fut
habilement exploitée par moi comme prétexte d'une présentation formelle. Césaire était un homme de quarante-
deux ans, à peine; le mariage fut bientôt consommé. Je
me frottai glorieusement les mains, ayant fait deux heureux.

Lenoir emmena sa femme à Saint-Malo, dans sa propriété de faubourg, rue des Mauvaises-Pâleurs, 18, sa
résidence accoutumée; ses lettres m'indiquaient de temps
à autre que le bonheur de son ménage, — à part la cécité
menaçante de Claire, — n'était troublé par aucun souci.

Comment sir Henry Clifton, l'aimable, le noble enfant
des mers, pouvait-il avoir connu la jeune dame? Pouvais-je affirmer — (en supposant que c'était bien de
Claire Lenoir qu'il entendait parler), — pouvais-je affirmer, dis-je, qu'elle avait failli à ses devoirs? Non! Une
telle pensée était hideuse; j'étais un visionnaire.

D'ailleurs, Claire, la belle Claire, était, si ma mémoire
ne m'abusait pas, une femme de recueillement et
d'étude : une métaphysicienne, que sais-je? Une savante!
Une créature impossible! Une extatique! Une ergoteuse!
Une phraseuse! Une rêveuse.

— Allons! ce ne pouvait être elle que le lieutenant
avait voulu flétrir d'une accusation d'adultère.

Là-dessus, je me souris à moi-même, en ramenant mon
drap sur ma tête; je haussai les épaules à l'endroit du
jeune Anglais — et m'endormis.

CHAPITRE IV

L'ENTREFILET MYSTÉRIEUX

D'ailleurs, en ce temps léthargique,
Sans gaieté comme sans remords,
Le seul rire encore logique
Est celui des têtes de morts.

PAUL VERLAINE [39].

La cloche d'arrivée me réveilla. Nous étions dans le port de Saint-Malo. C'était sur les onze heures, à peu près ; il faisait beau soleil. Je pris ma canne et ma valise, je sautai sur le pont, et, avec le flot des voyageurs, je me précipitai sur la jetée, les bottes maculées par l'écume des mers.

Ma première action, en touchant le sol de mon illustre patrie, fut d'entrer dans ce café d'où le regard embrasse toute la rade, et, au loin, le tombeau d'un ancien ministre de Charles X, le vicomte de Chateaubriand, — dont quelques travaux ethnographiques sur les Sauvages ont, paraît-il, été remarqués. Je demandai ma dose d'absinthe habituelle, énorme d'ailleurs ; puis, me laissant tomber assis, je saisis avec une distraction nostalgique le premier journal qui me vint crier sous les doigts.

C'était une feuille locale : — une gazette salie, ou-bliée, déchirée, d'une date déjà ancienne. Elle traînait là, — près de moi, — sur la banquette rouge. Et, main-tenant que j'y songe, il me revient, distinctement, que le garçon voulut me l'arracher des mains pour m'en donner une autre plus récente, — et que je lui résistai par le mouvement machinal de tout homme auquel on veut prendre ce qu'il tient.

En parcourant le journal, mes regards s'arrêtèrent sur un entrefilet situé entre un nouveau cas d'empiètement du parti clérical, — judicieusement signalé par le gazetier, — et une recette infaillible contre les maux d'oreilles les plus invétérés, recette que préconisait quelque empirique de passage.

Voici l'entrefilet :

« L'Académie des Sciences de Paris vient de constater l'authenticité d'un fait des plus surprenants. Il serait avéré, désormais, que les animaux destinés à notre nourriture, tels que moutons, bœufs, agneaux, chevaux et chats, conservent dans leurs yeux, après le coup de masse ou de coutelas du boucher, l'empreinte des objets qui se sont trouvés sous leur dernier regard. C'est une vraie *photographie* de pavés, d'étals, de gouttières, de figures vagues, parmi lesquelles se distingue presque toujours celle de l'homme qui a frappé. Le phénomène dure jusqu'à décomposition.

« Comme on le voit, l'Ignorance va s'amoindrissant ; cette découverte figurera noblement parmi ses compagnes au catalogue déjà sérieux de ce siècle de lumières [40]. »

Que je connusse antérieurement ce fait jusque dans ses particularités appliquées récemment à la police de l'Amérique du Nord — et au *puff* [41] de la même contrée, — c'est là ce qui, je l'espère, ne saurait laisser l'ombre d'un doute dans l'esprit du Lecteur. Mais ce qui me frappa, ce fut un phénomène *personnel* qui se produisit alors, en moi, à cette lecture ; savoir un certain caractère *d'à-propos* sous lequel le fait m'apparut en ce moment — et ainsi accommodé par quelque misérable loustic de province.

Cette dépravation sensorielle pouvait tenir de la fatigue nerveuse, morale et physique, due à mon voyage : je me laissai donc aller à l'examen de moi-même : puis, machinalement, je relevai les yeux… et la direction de mon regard tomba sur un homme debout contre un mât de misaine, les bras croisés, à deux cents brasses de moi : je reconnus le noble lieutenant.

Nos yeux se rencontrèrent à l'unisson, et nous détournâmes spontanément la vue l'un de l'autre, comme avec malaise. Pourquoi?... Ni lui ni moi ne le saurons jamais.

Pour couper court aux pensées ternes qui commençaient à monter en mon esprit, je me levai en sursaut, j'avalai l'absinthe d'un trait; puis, tournant les talons à la guinguette, je me mis à arpenter vivement le chemin des faubourgs maritimes où habitaient les époux Lenoir, — chemin quasi perdu et désert à cette heure de la journée.

Le soleil me brûlait: je m'arrêtai, de temps à autre, pour essuyer mon front et pour jeter autour de moi un coup d'œil inquiet.

CHAPITRE V

LES BÉSICLES COULEUR D'AZUR

> Beaux yeux de mon enfant, arcanes adorés,
> Vous ressemblez beaucoup à ces grottes magi-
> [ques
> Où, derrière l'amas des ombres léthargiques,
> Scintillent vaguement des trésors ignorés.
> CHARLES BAUDELAIRE, *Spleen et Idéal* [42].

Une demi-heure après, j'étais devant une maison de campagne isolée, l'habitation du bon docteur Césaire, mon meilleur ami. Je dis le « docteur » par façon de parler : car Lenoir était, au fond, un âne bâté, un oison bridé en personne naturelle, s'il en fut un sous le Soleil ! — J'agitai donc la cloche : un domestique des plus âgés vint m'ouvrir, escorté d'un énorme basset à poils roux, qui devait joindre, dans la maison, les fonctions de chien de garde à celle d'étrangleur de messieurs les rats.

Le domestique m'introduisit dans la salle à manger, me pria d'attendre et sortit.

C'était une salle ordinaire de rez-de-chaussée. Par la fenêtre, ouverte sur le jardin, entrait une fraîche odeur d'arbres. Portrait d'aïeule sur la muraille ; lampe et son abat-jour sur la grande table recouverte d'un tapis. Sur la cheminée, une glace profonde et limpide, en son cadre de chêne sculpté, reflétait le vieux Saxe de la pendule et d'anciens candélabres. — Et cette salle était pénétrée d'une quiétude provinciale, d'un calme d'isolement. J'étais resté debout, mon chapeau et ma canne d'une main, ma valise de l'autre. Je savourai l'ensemble de cette fraîcheur silencieuse, pleine d'échos.

Puis, faisant demi-tour sur moi-même :

— Voilà des heureux ! pensai-je.

Ce mouvement m'avait amené devant la glace ; j'y vis la porte s'ouvrir sans bruit, derrière moi, et donner passage à un être dont l'aspect me causa quelque saisissement.

C'était une femme enveloppée d'une robe de chambre de velours vert, à glands grenat ; deux longues boucles de cheveux châtains tombaient, à la Sévigné [a], sur sa poitrine ; elle avait sur les yeux une paire de lunettes d'or, dont les énormes verres bleuâtres, — ronds comme des écus de six livres, — cachaient presque ses sourcils et le haut de ses pommettes pâles. Elle venait, montrant ses dents avec un sourire intentionnel et des airs d'apparition. Je l'ai dit et je le redis encore : sa vue, à l'improviste, me remplit de saisissement.

— C'est donc vous, monsieur le voyageur ! me dit Claire Lenoir d'une voix mordante et vibrante comme le son de l'argent. Nous sommes allés vous attendre, hier au soir, sur la jetée ! Posez cela, et buvez bien vite un verre de ce vieux madère ; Césaire va descendre dans un instant.

Une fois mes ustensiles posés dans un coin, à la hâte, je lui pris les mains :

— Vous ! murmurai-je ; — est-ce possible !...

La jeune femme me toisa comme très surprise.

— Sans doute, me dit-elle, sans aucun doute ! Et d'où vient tant d'étonnement, mon très cher monsieur ? Je ne me savais pas changée à ce point ! — Ah ! s'écria-t-elle, tout à coup, en riant aux éclats, j'y suis ! Ce sont mes lunettes !... C'est vrai ! vous ne m'avez pas revue depuis le jour... Hélas ! mon ami, je me suis résignée à les porter, à mon âge, dans l'espérance d'une prolongation de la lumière !... Voyez ! voyez !

a. Inutile de rappeler, n'est-il pas vrai ? que nous ne répondons pas des *façons de voir*, même physiques, du Docteur. Il a ses appréciations *à lui*, que nous n'avons à nous permettre de rectifier en rien, — supposé qu'il y ait lieu, dans ses dires, de « rectifier » quoi que ce soit. [Note de l'auteur.]

Et, soulevant de ses deux mains les grandes besicles, elle me laissa considérer ses *Yeux.*

Ils étaient d'un éclat si vitreux, si interne, que le regard avait le froid de la pierre ; ils faisaient mal. C'étaient deux aigues-marines.

— Baissez ! lui dis-je vivement ; un coup d'air trop subit serait dangereux.

Les grands cils retombèrent sur les prunelles.

— Je ne sais ce qu'ont mes yeux, dit-elle en m'obéissant ; mais je juge, aux clignements des paupières, que c'est autant dans l'intérêt des autres que dans le mien, que je dois porter ces lunettes épaisses.

Il y eut un silence.

Je compris que le moment était venu de glisser un madrigal, la situation me paraissant même l'exiger impérieusement ! Mais, au moment où j'ouvrais la bouche pour placer une comparaison avec les astres les plus énormes de la voûte céleste (aimés des anges nocturnes), un autre personnage apparut derrière la porte vitrée : c'était Lenoir.

Aussitôt qu'il m'eut reconnu, ses sourcils élevés et disparates se défroncèrent, il entra comme un boulet de quarante-huit, se précipita dans mes bras sans dire un mot, avec une franche expansion qui faillit me renverser.

Il m'étouffait.

— Me voilà ! lui dis-je, et je vois avec une joie véritable, mon cher Lenoir, que vous n'avez pas souffert des années ? Toujours fort et vigoureux ! ajoutai-je en souriant et en me palpant pour m'assurer si je n'avais pas quelque chose de cassé dans mon armature.

Il appela les domestiques, en s'essoufflant, pendant que sa femme me remplissait un verre de madère ; il fit monter mes effets dans la chambre qui m'était destinée. Après quoi, nous passâmes au salon et nous nous mîmes à causer.

Yeux de Claire

CHAPITRE VI

JE TUE LE TEMPS AVANT LE DINER

Tu te tairas, ô voix sinistre des vivants !
LECONTE DE LISLE [43].

L'ameublement, les rideaux et les tapisseries de ce petit salon étaient d'un rouge sombre : des vases d'albâtre sur la cheminée. Dans l'ombre, une toile dans le style des élèves de Rembrandt ; de mauvais dahlias violets dans une coupe, sur le piano. Un petit vaisseau de guerre (œuvre des loisirs de mon ami), avec ses gréements et ses canons, était suspendu au plafond en guise de lustre. La fenêtre était ouverte, donnant sur le ponant et sur la mer.

Enfoui dans le canapé, entre Césaire et sa femme, je racontai, rapidement et à grands traits, mes voyages dans les cinq parties du monde, mes explorations au sommet des montagnes et dans les entrailles de la terre, depuis le sommet de l'Illimani jusque dans les profondeurs des mines de Poullaouën [44] ; je parlai des djeysers ou volcans de boue de l'Islande, — du crâne pointu des Séminoles, — des rites de Jaggernaut [45], — des supplices chinois, dont la simple nomenclature emplirait un dictionnaire de la capacité de nos Bottin, — des sectes de sorciers qui dansent en Afrique avec des bâtons de soufre enflammé sous les aisselles, — du passeport tatoué sur mon dos que m'avait donné, en signe d'affection Zoué-zoué - Anandézoué - Rakartapakoué - Boué - Anazeno-pati - Abdoulrakam - Penanntogômo V, roi des îles Honolulu et Moo-Loo-Loo, — des arbres indiens sur chaque feuille desquels est inscrite quelque pensée de

Bouddha, du culte du serpent chez les cannibales de la
Terre de Feu, — (serpent qui se contente de mordre
l'ombre humaine sur le sable au soleil, — pour faire
mourir), des sucs de la ciguë crucifère du pôle austral,
dont l'infusion donne toujours le même genre d'hallucinations et qui contient des reflets du monde antédiluvien;
— de la religion du Canada, qui consiste à croire que
l'univers a été créé par un grand lièvre; — des niams-
niams ou hommes qui portent une queue de chimpanzé et
qui se classent avant le gorille et au-dessous du nègre
Cafre, dans l'échelle apparente des créatures (ainsi que je
le constate dans mon traité intitulé : *Du Têtard),* — du
grand lama thibétain, dont le visage royal est toujours
voilé depuis la naissance jusqu'à sa mort inclusive-
ment, — du chef de tribu zélandais Ko-li-Ki (Rois des
Rois), qui ne vit qu'en prélevant sur ses sujets (lorsqu'il
passe à travers les huttes) de grands morceaux de chair,
enlevés d'un coup de mâchoire, aux endroits friands;
— je parlai des grands arbres, des flots, des rochers et
des aventures lointaines. Je tins le dé [46]; je renvoyai la
balle; j'agitai les grelots de la plaisanterie; — je racontai
avec aplomb toutes ces fadeurs; — je parlai de ceci, de
cela, de droite et de gauche, à tort et à travers, pensant,
qu'après tout, c'était assez bon pour eux. — Bref, je fus
charmant !

Ils avaient l'air stupéfait l'un et l'autre, et me considé-
raient comme s'ils ne m'eussent pas reconnu. J'avais
pitié de ces provinciaux : de vrais *écoute s'il pleut !*

Et puis, s'il faut tout dire, j'étais de fort mauvaise
humeur contre Lenoir, parce qu'il m'avait serré avec *trop*
de tendresse entre ses bras musculeux : je n'aime pas les
expansions grossières.

Le soir vint; les rayons du soleil couchant nous éclai-
rèrent tous trois d'une lueur sinistre, au fond du salon
rouge.

Pendant un moment de profond recueillement, le vieux
domestique entrouvrit discrètement la porte et laissa tomber ces mots :

— Madame est servie.

On se leva. Je tendis le jarret, je fis la bouche en cœur,

j'arrondis le bras et l'offris à Mme Lenoir, qui daigna s'y
appuyer.

Césaire nous suivait, pensif, en pinçant, du bout de son
pouce et de son index, son nez où il avait expédié une
prise, à la dérobée. Son attitude méditative ne m'échappait pas, bien qu'il fût derrière moi, parce que, comme
tous les gens de tact, j'ai deux yeux derrière la tête.

On apporta des candélabres allumés dont l'éclat se
reflétait sur les verres, la nappe et les cristaux.

Nous nous assîmes; nous déployâmes nos serviettes,
avec une certaine solennité silencieuse due à l'atmosphère de ma conversation, et, après le premier verre de
bordeaux, nous eûmes un sourire général.

CHAPITRE VII

ON CAUSE MUSIQUE ET LITTÉRATURE

Un dîner bien caqueté.
Mme DE SÉVIGNÉ.

A table, Claire parla musique avec une science que, vraisemblablement, je ne pouvais attendre d'une malheureuse femme.

Elle mentionna certain maître allemand, dont j'ai oublié le nom — et l'époque; «Génie miraculeux!» disait-elle, «mais seulement accessible aux intelligences initiées, aux humains complets. Ses œuvres traitent de légendes brabançonnes — d'un bâtiment posthume, — d'un virtuose guerroyeur enlevé par Celle qu'on révère à Paphos, d'un nommé Tout-fou, — d'un Fatras mythologique en quatre séances, etc., etc.: ces dernières compositions paraissaient remplir Mme Lenoir d'une admiration inexplicable [47]. Je me remémore très bien qu'elle nous parla d'un certain *crescendo en ré* » où resplendissait (disait-elle en son enthousiasme d'enfant) le «terrible HOSANNAH».

Elle spécifia, de plus, on ne sait quel *Chant de Pèlerins* [48], «dont la profonde lassitude avait quelque chose d'éternel!» Ce chant la captivait jusqu'à la divagation. — A l'en croire, «il était, d'abord, étouffé sous les enlacements de rires aphrodisiaques, poussés par des sirènes moqueuses, apparues sous la lune, dans les roseaux.» Les circonstances se passaient «près d'une montagne enchantée». Cela signifiait, tout bonnement, que les instigations câlines de nos passions obscurcissent

parfois en nous, pèlerins de la terre, le souvenir de la
patrie céleste : — pensée que jamais croque-notes n'est
capable d'avoir, — on en conviendra, — (si puérile
qu'elle soit, d'ailleurs !) — « Mais » ajoutait Mme Lenoir, « la mystique fanfare finissait par éclater et dominer
triomphalement : une option réfléchie et décisive repre-
nait, dans la lumière du soir, l'hymne de gloire et de
martyre, et précipitait la fuite des *ombres,* comme une
authentique mission d'Espérance ! »

A cet énoncé, je sentis le fou rire me monter à la gorge.
Il était évident que Mme Lenoir, abusant des privilèges
de son sexe frivole, voulait se divertir à mes dépens. Je
jugeai opportun de m'y prêter de bonne grâce et l'éloge
de cet intrigant défraya le babil des deux premiers servi-
ces.

Ensuite elle s'aventura dans la littérature : là, j'étais
mieux sur mon terrain.

Aux îles Chinchas [49], — (si justement estimées pour
leur engrais fameux), pendant une maladie qu'il est inutile de nommer, j'avais pris quelques tomes pour combattre les ennuis nocturnes.

C'étaient deux ou trois ouvrages d'un écrivain prodi-
gieux et qui avait gagné déjà son pesant d'or avec ses
livres : — ce qui est, pour moi, comme pour les gens
incapables de se repaître de mots, la meilleure des re-
commandations.

C'est la plume, à coup sûr, la plus féconde de notre
beau pays, et, dans les cinq parties du monde, les notabi-
lités des deux sexes se disputent ses produits, quels qu'ils
soient.

J'ai oublié son nom : mais le genre de son talent (auquel s'efforcent en vain d'atteindre tous ses confrères),
consiste à *gazer,* adroitement, les situations les plus sca-
breuses !... A frapper l'imagination du lecteur par un
enchaînement de péripéties émouvantes — et logiques ! — où les personnages en relief (quoique appartenant aux bas-fonds de la société), élèvent le cœur, nour-
rissent l'esprit et calment les consciences les plus inutilement scrupuleuses.

Ses héros intéressent principalement en ce qu'ils ne

meurent au *recto* que pour ressusciter au *verso.* Sur ces pages, que l'œil parcourt fiévreusement, se projettent à la fois les ombres vénérables d'Orphée, d'Homère, de Virgile et de Dante, — sinon de Chapelain, lui-même, — et, pour me résumer, cet homme, ce moraliste, représente, d'ores et déjà, *la pure expression de l'Art moderne dans sa Renaissance et sa Maturité.* Aussi est-il goûté de tous. Et moi-même, depuis cette époque d'exil aux îles Chinchas, j'avais hâte de venir poser un pied furtif et incertain sur la terre de France pour m'adonner tout entier à la lecture de ses nouveaux recueils, les feuilles publiques encombrées par son génie ne m'offrant, çà et là, que quelques bribes chues de sa forte plume autorisée.

J'avais pris, également, — (j'allais oublier de le dire) — deux ou trois volumes d'un ancien député français, ex-pair de France, si je dois en croire ce que m'affirma, très étourdiment, le capitaine, — et les ouvrages d'un conteur américain édité à Richmond, dans la Caroline du Sud.

Je dois l'avouer : la prose du romancier sans second, du Moraliste des îles Chinchas, m'avait, vraiment, rafraîchi le cœur. Ses personnages, solides comme du bois, m'avaient rempli d'intérêt — souventefois d'émotion, — notamment l'un d'eux, nommé, je crois Rocambole [50]. Je ne lui ferai qu'un reproche et encore avec la réserve de l'humilité : c'est d'être quelquefois, peut-être, un peu — métaphysique... un peu — comment dirais-je ! — un peu trop abstrait... — enfin, — pour dire quelque chose, — un peu trop *dans les nuages,* comme le sont, malheureusement, tous les poètes.

— Ah ! quand viendra-t-il donc un écrivain qui nous dira des choses vraies ! — des choses qui arrivent ! — des choses que tout le monde sait par cœur ! qui courent, ont couru et courront éternellement les rues ! des choses SÉRIEUSES, enfin ! Celui-là sera digne d'être estimé du Public, puisqu'il sera la Plume-publique.

Quant à l'ancien député, ses « vers », suivant son étonnante expression, m'avaient échauffé la bile. C'était (autant que je puis m'en souvenir) une sorte de pot-pourri de légendes sans suite, et, comme on dit, sans rime ni

raison. Il était question, là-dedans, de Mahomet, d'Adam
et d'Ève, du Sultan, des régiments de la Suisse et des
chevaliers errants : c'était, enfin, le capharnaüm le plus
chaotique dont cerveau brûlé ait jamais conçu l'extravagance [51].

Quelques bons mots, çà et là, — quelques appréciations justes, ne le rendaient, à mes yeux, que plus dangereux pour les esprits faibles. Je ne conçois pas qu'on ait
nommé député un pareil individu : ce recueil m'avait
donné là, vraiment, une piteuse idée de notre belle langue
française.

Parlerai-je de l'Américain [52] ?... Celui-là m'avait paru,
le gaillard, posséder quelques teintures de rhétorique !...
Mais une chose qui m'a frappé c'est le *titre* de ses
œuvres. Il les appelait, avec une certaine suffisance :
« *Histoires sans pareilles !* » « *Contes extraordinaires !...* » etc. — J'ai lu toutes ces histoires et je me suis
vainement demandé ce qu'il voyait d'extraordinaire dans
tout ce qu'il racontait. C'était, en bonne conscience, le
dernier mot du banal, — présenté, il est vrai, à la bourgeoise, — mais du banal ; et il m'endormit, maintes
fois, délicieusement. J'en avais conclu que le titre
avait été choisi par l'éditeur pour piquer la curiosité du
vulgaire.

Claire Lenoir rougit beaucoup au nom du Moraliste des
îles Chinchas, et m'avoua, toute confuse, qu'elle en entendait parler pour la première fois.

A cette naïve confidence, je l'enveloppai, naturellement, d'un regard oblique et presque vipérin, n'en
croyant pas mes oreilles : pour une femme versée dans
l'étude des Lettres et dans les questions abstruses de la
philosophie, c'était là une triste réponse, on en conviendra-
dra ! — Que lisait-elle donc !... pensai-je. A quoi songeait cette petite tête évaporée ?

Néanmoins, sa franchise toute provinciale lui gagna
mon indulgence, et point ne voulus abuser de la supériorité de mes connaissances vis-à-vis de ma charmante
hôtesse.

Je me bornai donc à deviser du député et du conteur
américain — (dont il est inexplicable que les noms

m'échappent!...) — J'en devisai, dis-je, dans les termes d'appréciation sus-énoncés.

Mme Lenoir parut m'écouter avec la plus grande attention pendant quelque temps; elle avait l'air d'ignorer totalement de qui je voulais parler. Mais lorsque j'eus précisé le *sujet* — (qui me revint fort à propos) — de quelques-unes des «légendes» du député et le *titre* de quelques-uns des «contes sans pareils» dus au bourgeois de la Caroline du Sud, elle tressaillit comme si elle se fût réveillée en sursaut et sa physionomie prit une expression très singulière! — je puis l'affirmer! par les démons! — indéfinissable!... c'est le mot.

Elle fixa, d'abord, sur moi ses aigues-marines à l'abri de ses lunettes, et demeura comme saisie d'une vague stupeur. Puis, s'emparant de la carafe, elle remplit son verre, but une gorgée d'eau pure, reposa le verre devant son assiette, et, tout à coup, sans motif, elle jeta un éclat de rire musical et saccadé pendant que je la considérais avec une pitié soupçonneuse, en m'interrogeant, moi-même, sur ses facultés mentales.

Elle reprit bientôt des dehors plus décents et je l'entendis murmurer très bas, car j'ai l'oreille fine :

— Pourquoi rire? Il est écrit : «Les morts ne vous loueront pas [53].»

Je ne sus, littéralement, que penser : je regardai Césaire : il ne sonnait mot et dévorait un râble aux tomates en roulant des yeux noyés dans l'extase.

— Oui, c'est la mystérieuse Loi!... continuait la jeune femme, si bas que je l'entendais à peine, — il est des êtres ainsi constitués que, même au milieu des flots de lumière, ils ne peuvent cesser d'être obscurs. Ce sont les âmes épaisses et profanatrices, vêtues de hasard et d'apparences, et qui passent, murées, dans le sépulcre de leurs sens mortels.

Je la blâmai, dans mon cœur, de cette épigramme évidemment à l'adresse de son mari, mais je ne voulus point, par bon goût, paraître l'avoir entendue.

— Ha! ha!... voyez-vous, chère madame Lenoir, m'écriai-je, — je suis tout rond, moi!

— Il est d'autres êtres, continua-t-elle avec douceur,

qui connaissent les chemins de la vie et sont curieux des
sentiers de la mort. Ceux-là, pour qui doit venir le règne
de l'Esprit, dédaignent les années, étant possesseurs de
l'Éternel. Au fond de leurs yeux sacrés veille une lueur
plus précieuse que des millions d'univers sensibles,
comme le nôtre, depuis notre équateur jusqu'à Nep-
tune. — Et le monde, en son obéissance inconsciente aux
Lois de Dieu, n'a fait que se rendre justice à lui-même et
se vouer à la MORT, le jour où il s'est écrié : « Malheur à
ceux qui rêvent ! »

Et elle murmura le mot (insensé, à tous égards), de
Lactance, en son *De morte persecutorum,* — si bas, si bas !
que je le devinai plutôt que je ne l'entendis, cette fois :

— « *Pulcher hymnus Dei homo immortalis* [54] !... »

Elle s'accouda, le menton dans la paume de sa belle
main, comme oubliant notre présence.

Le compliment était sans doute exagéré : je suis loin
d'être une aussi belle âme qu'elle voulait bien le donner à
entendre : je me versai donc un ample coup de château-
margaux, retour de l'Inde [55], et, à vrai dire, je me sentis
un peu de compassion pour ce futile galimatias.

— Chère madame, répliquai-je galamment, j'ai toujours partagé les sentiments que vous venez d'émettre,
envers ceux qui m'en ont semblé dignes, — et il est
même dans mon tempérament de rendre service, d'une
façon presque *inconsciente,* comme vous dites, aux bonnes natures que je rencontre sur mon chemin.

— Ah ! vraiment, docteur ? dit-elle.

— Oui, répondis-je, vraiment ! — Et, tenez, il m'est
arrivé, parfois, de lier connaissance avec des jeunes gens
qui s'en allaient, à travers la vie, pleins d'enthousiasmes,
le rire, le franc-rire aux lèvres, l'expansion et la joie dans
le cœur !... Ah ! ces poètes ! ces doux enfants !... quel
service j'ai su leur rendre !

Je m'arrêtai un instant pour savourer ces souvenirs.

— Eh bien ? murmura Claire en me regardant.

— Eh bien, ajoutai-je d'un ton paterne, je ne sais
comment cela s'est fait, mais j'ai constaté que, dans ma
fréquentation, *ils perdirent insensiblement l'habitude du
rire — et même du sourire.*

Il me sembla, comme j'achevais cette phrase, que Claire avait eu le frisson, — ce frisson nerveux, indice de santé après les repas, — et que le vulgaire stupide appelle « la petite mort ».

Lenoir interrompit un instant ses travaux, releva la tête, et, avec un sérieux bizarre, me regarda ; puis, sans mot dire, il se replongea dans le dîner.

— Enfin, chère madame Lenoir, repris-je, pour conclure, j'ai toujours aimé les bons auteurs, — et aussi vrai que le bourrelet des enfants modernes n'est autre chose que la tiare atrophiée de Melchissédech [56], — aussi vrai le Moraliste des îles Chinchas est de ceux-là !...

Claire baissa la tête en silence : elle était battue. Je compris que son ignorance l'accablait. Je me délectai innocemment de sa rougeur, mais ne voulant pas pousser la leçon plus loin, je me retournai vers Césaire pour traiter de choses plus sérieuses que les « Belles-Lettres » et que la « Musique ».

Nous échappent.
Attend le god écrivain
qui dira des choses vraies

CHAPITRE VIII

SPIRITISME

> Dans les dîners d'hommes, il y a une ten-
> dance à parler de l'immortalité de l'âme au
> dessert.
>
> E. et J. DE GONCOURT.

Toutefois, comme l'intellect de Césaire, — et même toutes les facultés de son âme, — me paraissaient, pour le moment, absorbées par un plat de paupiettes, son mets favori, et que la sensation du goût, primant provisoirement les autres, devait, à coup sûr, étouffer en lui (présumai-je en le regardant), toute notion de justice divine et humaine, je jugeai prudent de laisser, comme on dit, passer l'orage — et même de me régler de mon mieux sur le stoïcisme exemplaire de sa conduite.

En conséquence, je songeai vivement qu'il était à propos de donner du jeu à l'héroïque appareil de muscles masséters et crotaphytes [57], dont la Nature, en mère prévoyante, m'a départi la propriété. L'instant d'après, nos deux paires de mâchoires, se sentant dans le vrai, luttaient, sans bruit, de rapidité, d'adresse et de vigueur, et joignaient la ruse au discernement.

Claire, tout à coup, au milieu du silence intelligent qui régnait sur nos fronts éperdus, se plaignit de la trop vive lumière des candélabres.

Ce fut donc aux discrètes lueurs de la lampe que Césaire, s'estimant repu, se renversa, classique, sur le dossier de son fauteuil, et, dodelinant de la tête, posa bruyamment ses deux mains sur la table où le domestique venait de placer le café et la liqueur. — Il roula, sous des sourcils relevés, des yeux effarés et satisfaits, et regarda Mme Lenoir et moi comme dans une hébétude. Puis il savoura l'arôme d'une première lampée de la fève de Moka, posa sa tasse, tourna ses pouces, et, les regards au ciel, laissa tomber ce mot d'une voix grasse, gutturale et enrouée par la nourriture :

— Parfait ! !

Sa bouche, fendue comme un bonnet de police, essaya d'ébaucher un sourire.

Il entama donc, sur-le-champ, une discussion « philosophique ».

La thèse choisie par l'excellent amphitryon n'était pas autre que celle-ci :

— « Sommes-nous appelés à de nouvelles chaînes d'existences ou cette vie est-elle définitive ! La somme de nos actions et de nos pensées constitue-t-elle un nouvel être intérieur soluble dans la Mort ? » En d'autres termes : « Notre chétif quotient mérite-t-il immédiatement, après dissolution de l'organisme, après désagrégation de la forme actuelle, les honneurs de l'Immodifiable ? »

Je laisse à penser au Lecteur l'effet que ce programme, à confondre les aliénés dans les hospices, dut produire sur moi. Mais Césaire, imperturbable, se recueillit, et je vis avec effroi qu'il s'apprêtait fort tranquillement à étaler, avec la plus grande complaisance du monde, toutes les superstitions dont il s'était infecté l'esprit.

Car — il faut bien, à présent, que je le dise ! il est temps d'en prévenir le Lecteur ! — c'était un hanteur d'endroits solitaires, un homme à systèmes sombres et à tempérament vindicatif. Il avait quelque chose d'égaré, de rudimentaire, dans les traits fondamentaux. Il prétendait, en riant sous son nez de Canaque, qu'il y avait en lui du *vampire velu*. Ses plaisanteries infatuées roulaient le plus souvent sur l'anthropophagie. Le tout semblait se fondre dans une bourgeoisie bonasse, — mais lorsqu'il s'évertuait sur son thème favori : — *« La forme que peut prendre le fluide nerveux d'un défunt, le pouvoir physique et temporaire des mânes sur les vivants »* — ses yeux brillaient de flammes superstitieuses ! — Ce sauvage parlait avec terreur du grand-Diable des enfers, et il eût

fini par inquiéter et rendre malades des tempéraments
moins affermis que le mien, grâce à son éloquence bizarre et opiniâtre.

Je l'ai vu me tenir jusqu'au matin sur certaine relation
d'un capitaine de vaisseau russe, prisonnier des insulaires
de l'Archipel de la Sonde — récit horrificque ! — et sa
figure prenait une expression que je n'eusse pas trouvée
déplacée chez ces mêmes naturels. — Sa nature véritable, interne, devait être d'une *férocité* compassée, défal-
cation faite de son degré de civilisation.

Quant à ce qu'il appelait ses idées « théologiques »,
elles étaient pour moi la source la plus ample et la plus
hilare de quolibets possible, — quolibets tout intérieurs,
bien entendu, — car, fidèle aux prescriptions des excel-
lents auteurs que j'ai eu l'honneur de citer au début de ce
Mémorandum, il n'entre pas dans mes idées de blâmer les
gens ouvertement. Lenoir ne se doutait donc pas, lorsque
j'approuvais, tout haut et avec un doux sourire, ses som-
nolentes et fadasses théories, qu'*in petto* je nourrissais
contre elles une haine basse, dédaigneuse, aveugle et
presque sanguinaire !... C'était même (hé ! hé ! hé !) un
peu pour cela que je l'avais marié sans pitié ; autrefois !
car j'ai toujours un motif pour faire ce que je fais, moi !
et, — comme le Jupiter d'Eschyle, — seul je connais ma
pensée.

Or, c'était vers cette année, qu'au dire de ceux qui
l'ont fréquenté, la foi dans les doctrines de la Magie, du
Spiritisme et du Magnétisme et, surtout, de l'Hypnotisme, avait atteint son maximum d'intensité chez mon
pauvre ami[58]. Les suggestions qu'il prétendait pouvoir
inculquer aux passants étaient capables d'alarmer et de
jeter dans l'épouvante. Il soutenait avec aplomb des
théories à faire venir la chair de poule, dans toute la
monstruosité de l'expression.

Il faisait ses délices d'Eliphas Lévi, de Raymond-
Lulle, de Mesmer et de Guillaume Postel, le doux moine
de la Magie noire[59]. Il me citait l'abbé astrologue
Trithème, R. C. Il ne jurait que par Auréole Théophraste
Bombaste, dit le « divin Paracelse ». Gaffarel et le popu-
laire Swédenborg le ravissaient jusqu'au délire, et il pré-

tendait que l'Enfer d'épuration, analysé par Reynaud, était *plus* que rationnel [60].

Les modernes, Mirville, Crookes, Kardek [61], le plongeaient dans de profondes rêveries. Il croyait aux *Ressuscités* d'Irlande, aux vampires valaques, au mauvais œil ; il me citait des passages tirés du cinquième volume de la mystique de Görres, à l'appui de ses propositions [62].

Ce qu'il y avait de plus abracadabrant, c'est que Lenoir était un hégélien enragé et très entendu : comment arrangeait-il cela ?

— Mais allez donc trouver un atome de bon sens dans les contradictions des gens qui sont assez sots pour « penser ! » Alors qu'il est démontré que cela ne peut mener à rien, puisqu'on ne se convainc jamais soi-même !

Quant au Magnétisme, aux expériences très curieuses de Dupotet et de Regazzoni [63], il y attachait une confiance sans bornes. Cette fois, je n'étais pas très éloigné de partager quelques-unes de ses opinions, mais dans un sens plus rassis et plus éclairé, bien entendu.

Le vieux scélérat croyait fermement, lui, aux coups frappés sur quelqu'un à distance, — aux passions brusquement excitées par la seule volonté du magnétiseur, — aux richesses artificielles, — aux douleurs d'un enfantement factice, — aux fleurs empoisonnées par le regard, — enfin aux signes de l'Ésotérisme sacerdotal formulant la réprobation.

Il avait, dans sa chambre, le Pentagramme d'or vierge et les attributs propices aux évocations noires et aux pactes. Il concevait le bouc baphométique, emblème prêté, comme on sait, aux anciens Templiers ; il commentait couramment les clavicules de Salomon et il croyait au corps sidéral enfermé en un chacun [64]. Et, à l'appui de ces balivernes, il me citait, avec un sang-froid de Groënlandais, des textes qui — chose assez surprenante — paraissaient d'abord les plus rationnels, les plus logiques, les plus scientifiques et les plus irréfutables, — mais qui, évidemment, ne pouvaient être, au fond, qu'un mauvais jeu d'esprit, fruit de l'ignorance et du charlatanisme.

Tel était le bon docteur ; et il venait de poser la question

— si toutefois c'est même une question — que j'ai men-
tionnée.

Elle donna lieu, comme on va le voir, à une discussion
des plus étranges et qu'il est indispensable de relater,
pour l'intelligence des événements plus étranges encore
qui la suivirent.

CHAPITRE IX

BALOURDISES, INDISCRÉTIONS ET STUPIDITÉS (INCROYABLES!...) DE MON PAUVRE AMI

La Philosophie commande et n'obéit pas.
ARISTOTE.

Nous allumâmes des cigares et passâmes au salon.

Pour que l'on pût mieux jouir de la vue des flots qui brillaient, au loin, par la croisée ouverte, Claire baissa l'abat-jour de la lampe.

Le ciel était un noir chaos d'horribles nuages; un croissant de cuivre et quelques étoiles constituaient l'aspect de la nuit : mais l'odeur saine de la mer nous imprégnait les poumons.

— Nous voici au théâtre : on donne, ce soir, *La Mer*, grand opéra, musique de Dieu, murmura Mme Lenoir.

— Le fait est, répliquai-je en souriant, que, si j'ose m'exprimer ainsi, la houle va faire une basse «divine» à l'harmonie de nos pensées.

Je m'engouffrai dans le canapé : Mme Lenoir s'appuya contre le balcon, à demi tournée vers la vague ; le docteur s'installa dans un fauteuil, en face de moi, plongeant des yeux singulièrement clairs et brillants au plus profond des miens, avec une fixité presque gênante.

— Mon ami, lui dis-je, mon seul, mon vieux compagnon d'armes, j'ai besoin, tout d'abord, du secours de vos lumières sur un point de physiologie qui m'intrigue.

— Parlez, Bonhomet, parlez!... murmura Lenoir, évidemment flatté de ce qu'un homme comme moi lui demandait ses «lumières».

— Voici en deux mots : les officiers de santé, qui

desservent les hospices de fous, ont-ils songé à doser, dans des mesures approximatives, le degré de *réalité* que peuvent avoir les hallucinations de leurs clients ?

Par cette question incongrue j'espérais lui faire comprendre le ridicule et le mauvais goût de sa propre question.

— Avant de vous répondre, me dit-il sans s'émouvoir, je serais heureux de connaître ce que vous entendez par ce mot : *la Réalité ?*

— Ce que je vois, ce que je sens, ce que je touche, répondis-je en souriant de pitié.

— Non, — dit Lenoir ; vous savez bien que l'Homme est condamné, par la dérisoire insuffisance de ses organes, à une erreur perpétuelle. Le premier microscope venu suffit pour nous prouver que nos sens nous trompent et que *nous ne pouvons pas* voir les choses telles qu'elles sont. — Cette nature nous paraît grandiose et « poétique » ?... Mais, s'il nous était donné de la considérer sous son véritable aspect, où tout s'entre-dévore, il est probable que nous frémirions plutôt d'horreur que d'enthousiasme.

— Soit !... m'écriai-je : nous savons cela ! Mais le réel, pour nous, est relatif, mon ami : tenons-nous-en à ce que nous voyons.

— Alors, répliqua Lenoir, si le réel est, décidément, ce que l'on voit, je ne m'explique pas bien en quoi les hallucinations d'un fou ne méritent pas le titre de réalités.

Je me sentis acculé : mais je suis de ceux qu'on n'accule pas impunément, car la peur me fait rentrer dans le mur.

— C'est ma foi vrai, mon cher Lenoir !... dis-je après un silence.

J'ajoutai avec hypocrisie, pour briser sur toute métaphysique :

— Le mieux est de se mettre à genoux devant le Créateur, sans chercher à pénétrer l'insoluble mystère des choses.

— Cela dépend, dit Lenoir.

— Comment, cela dépend !...

— Je ne demande pas mieux que de me mettre à

genoux devant mon Créateur, mais à la condition que se soit bien devant Lui que je me mette à genoux et non devant l'idée que je m'en fais. Je ne demande précisément que d'adorer Dieu, mais je ne me soucie pas de m'adorer moi-même sous ce nom, à mon insu. Et il est difficile de m'y reconnaître.

— Mais votre conscience !... m'écriai-je.

— Si ma conscience m'a déjà trompé une fois (comme je viens de m'en apercevoir à propos de mes sens), qui m'affirme qu'elle ne me trompe pas encore ici ? Quand je pense Dieu, je projette mon esprit devant moi aussi loin que possible, en le parant de toutes les vertus de ma conscience humaine, que je tâche vainement d'infiniser ; mais ce n'est jamais que mon esprit, et non Dieu. Je ne sors pas de moi-même. C'est l'histoire de Narcisse. Je voudrais être sûr que c'est bien Dieu auquel je pense quand je prie !... Voilà tout.

— Sophismes ! susurrai-je en souriant. On appelle objectivité, je crois, en langage philosophique, ce ressassé phénomène du cerveau. Mais on ne s'est pas créé tout seul !

— Vous dites ?... fit Lenoir de son même ton de professeur qui m'agaçait.

— Enfin, vous ne nierez pas, je l'espère, qu'un Dieu nous a créés ?

— Prêtez l'oreille : Dieu ?... — Mystère ; la Création ?... Autre mystère. Dire que Dieu nous a créés, c'est donc affirmer, tout bonnement, que nous sortons du Mystère ; — point sur lequel nous sommes parfaitement d'accord, puisque c'est précisément ce mystère (ou, pour parler plus exactement, ce problème) qu'il s'agit d'éclaircir et que vous ne rendez que plus obscur en le personnifiant. Or, tout problème suppose solution. Je ne serais pas éloigné de croire qu'*aujourd'hui* la solution soit possible.

— Possible !!! Bonté du ciel !... m'écriai-je en joignant les mains : — avec notre pauvre esprit borné ?

— Borné à quoi ? demanda Claire d'une voix douce. Pouvez-vous penser une limite précise, quand toutes se constituent d'un *au-delà* ?

Une pareille question, sortant de la bouche d'une

femme, était faite pour alarmer des gens plus prudes que
moi. Je me sentis rougir jusqu'au blanc des yeux.

— Où voyez-vous des «bornes» dans l'Esprit? dit
Lenoir. Je suis prêt à prouver, que l'entendement de
l'Homme, s'analysant lui-même, doit découvrir, en et par
lui seul, la *stricte* nécessité de sa raison d'être, la LOI qui
fait *apparaître* les choses et le principe de toute réalité [65].
Bien entendu, je ne parle qu'au point de vue *de ce monde,*
sous toutes réserves (s'il en est un autre), de ce que mes
sens ne me révèlent pas.

Je l'avoue, je demeurai bouche béante devant la stupide fatuité du docteur.

— Ciel!... — pensai-je; — rien ne peut donc ternir
l'hermine de sa sottise! C'est de l'étalage, à cause de sa
femme.

— Mais, mon ami, dis-je, un simple chrétien vous
demanderait pourquoi l'Humanité aurait attendu jusqu'à
vous, six mille ans, avant de connaître la Vérité!... votre
vérité!... en supposant que vous l'ayez.

— Je répondrais au chrétien: l'Humanité en a bien
attendu quatre mille avant de connaître la vôtre! — La
Vérité ne se mesure pas à l'année. Quant à *moi,* ne faut-il
pas *que je sois,* avant d'être chrétien? Avant d'être chrétien, il faut que je sois homme. Je suis Homme, d'abord :
je fais partie de la série humaine; et quand je m'élève par
la pensée jusqu'en l'Esprit humain, je suis le point par où
l'idée du Polype-Humanité s'exprime à l'un de ses moments; je cesse d'être un moi particulier; je parle au nom
de l'espèce qui se représente en moi. — Hors de l'idée
générale, je ne serais qu'un fol ayant l'hallucination du
ciel et de la terre, et devisant au hasard, comme les
autres, en vue de quelque bas intérêt de la vie «pratique».

Je jugeai que le moment était venu d'amener Lenoir à
résipiscence et qu'il fallait l'humilier :

— Laissez-moi seulement vous citer Cabanis [66]!...
balbutiai-je.

Et je leur exposai le passage où l'illustre officier de
santé relate les exemples de personnes mordues par des
animaux enragés: loups, chiens, pourceaux et bœufs:
— «Ces personnes, affirme-t-il, se cachaient sous les

meubles, aboyaient, hurlaient, grognaient, meuglaient et imitaient, par leurs attitudes, les coutumes et les instincts de l'animal qui les avait mordues. » — Vous comprenez, ajoutai-je, que le plus parfait des génies humains ne doit jamais perdre de vue qu'un tel désastre peut lui échoir, et, devant la seule possibilité de cette humiliation, ce n'est qu'avec une réserve extrême et compassée, — et après mûr examen au point de vue général, — qu'on doit exposer ses opinions personnelles. Pour moi, Kant, Schopenhaüer, Fichte et le baron de Schelling [67] ne sont que des personnages infectés d'une sorte de *virus rabique* naturel et qu'on eût dû traiter en conséquence.

Et Hégel, que vous allez me citer, puisque c'est votre maître (ajoutai-je pour humilier Lenoir), ne leur cède en rien sous ce rapport. Quand, d'après la théologie, le Diable, en réponse au : *Quis ut Deus ?* de Michel, poussa son cri : «*Non serviam* [68] *!* » (sottise qui fut châtiée par toutes les Vertus [69] célestes, ajoutai-je avec un léger sourire), il nous instruisit à nous défier de toute précipitation enthousiaste. — Et le lycanthrope Nabuchodonosor ne renforça point peu cette leçon symbolique donnée à notre orgueil ! — Eh bien ! Hégel me fait l'effet d'être le Nabuchodonosor de la Philosophie, voilà tout !

Et pour achever de troubler le bon docteur, je lui fis étinceler dans les yeux les facettes de mon diamant.

En entendant ce galimatias, Lenoir ouvrait des yeux démesurés, et je jouissais intérieurement de la difficulté qu'il éprouvait à lier le décousu de mes paroles.

— Vous ne prétendez pas inférer, je suppose, murmura-t-il enfin, qu'une maladie quelconque soit notre limite, puisque l'Espèce survit à l'Individu. — Si Cabanis est mordu, l'Esprit-Humain ne relève pas de sa rage : il la constate, l'étudie à titre de phénomène, découvre le remède et passe outre. Que voulez-vous dire ?

— Je veux dire, criai-je, que si j'appuie mon pouce sur un lobe du cerveau, si je touche une partie quelconque de la pulpe cérébrale, je paralyse instantanément soit la volonté, soit le discernement, soit la mémoire, soit quelque autre faculté de ce que vous appelez l'âme. D'où je conclus que *l'âme n'est qu'une sécrétion du cerveau* [70], un peu de phosphore essentiel, et que *l'idéal est une maladie de l'organisme, rien de plus*.

Lenoir se mit à rire, tout doucement :

— Alors le problème se réduirait à savoir ce que c'est que le « phosphore » et de *quoi* se « sécrètent » le cerveau, le Soleil, le sens d'examen, la réflexion de l'Univers dans la pensée, et d'où vient la nécessité de l'être de ces « sécrétions » plutôt que de leur néant ? Je veux bien : du moment *qu'il y a question,* le reste m'est indifférent. Entre les physiologistes et les métaphysiciens, le dissentiment ne provient que de la diversité des expressions : la science a ses pays et ses langages, comme une Terre.

— Mais que croyez-vous dire en affirmant que vous paralysez les *« facultés »* de l'âme en touchant les lobes d'un cerveau ?... Dites que vous paralysez les *appareils*, les organes par lesquels ces facultés s'exercent, se révèlent extérieurement, ne dites pas que vous les touchez, encore moins que vous les *anéantissez*. C'est comme si vous coupiez les jambes d'un homme, en ajoutant : « Je te défie de marcher. » Rien de plus.

— Fortement éloqué [71] ! murmurai-je d'un air confondu comme si je n'eusse pas su par cœur, depuis le berceau, toutes ces banalités rebattues et lamentables. — Eh bien, Lenoir, vos conclusions ?

— Je conclus que *l'Esprit fait le fond et la fin de l'Univers*. Dans le germe de l'arbre, dans la graine d'une plante, on ne peut dire que l'arbre et la plante sont contenus en *petit :* il faut donc qu'ils y soient contenus idéalement. L'arbre et la plante futurs, virtuels en leur germe, y sont obscurément pensés. Par l'idée médiatrice de l'Extériorité, qui est comme la trame sur laquelle se brode l'éternel devenir du Cosmos, l'IDÉE se nie elle-même, pour se *prouver* son être, sous forme de *Nature,* et je pourrais reconstruire le fait en employant la dialectique hégélienne. L'Idée ne croît qu'en se retrouvant en sa négation. Le mouvement contenu dans la croissance des arbres et des brins d'herbe, n'est-il pas le même que celui qui fait osciller et bondir sur eux-mêmes les soleils projetant leurs anneaux au travers des cieux et produisant, ainsi, d'autres soleils ? Comme les fruits tombés de l'ar-

bre ou les fleurs des brins d'herbe produisent d'autres
fleurs et d'autres arbres, comme le vent emporte dans les
prairies et les vallées le pollen végétal, ainsi la vitesse
centrifuge disperse dans les abîmes le pollen astral : c'est
la germination du monde, que Hégel, — vous le savez, — regardait comme « une plante qui pousse ».

conclusion hégélienne.

CHAPITRE X

FATRAS PHILOSOPHIQUE

> Satan est bon logicien.
> DANTE.

Le domestique nous apporta le thé.

Claire, avec un doux sourire, que ses lunettes rendaient légèrement sinistre, m'offrit une tasse de la chaude infusion chinoise, sucrée et aromatisée de kirsch par ses soins prévenants.

— Lenoir, dis-je, en savourant une gorgée de la digestive liqueur, — vous êtes en contradiction, je dois vous en prévenir, avec les théologiens et les physiologistes, en affirmant que l'Idée et la Matière sont une même chose.

— Non.

— Comment, non !

— Les Théologiens n'avancent-ils pas que Dieu est un pur Esprit, et qu'il a créé le monde ? La Matière peut donc ÉMANER de l'Esprit, même au dire des théologiens. Ainsi, la différence n'est qu'apparente. — Quant aux physiologistes, ne sont-ils pas forcés d'affirmer que *la forme* du corps lui est plus *essentielle* que sa matière [72] ? — Vous voyez.

J'étais loin d'être dans les eaux de Lenoir; ses sophismes glissaient sur la cuirasse épaisse de mon Sens-commun.

— Voyons, mon ami, lui dis-je, abuseriez-vous de vos droits d'amphitryon jusqu'à vouloir insinuer que cette BUCHE, par exemple, n'est pas de la matière ?

— Où voyez-vous la «Matière» en cette bûche? répondit-il.

Je me voilai la face de mes deux mains : le naufrage de cette intelligence me faisait mal. Il voulait goguenarder avec moi!... Avec moi!

— Vous prétendez que vous ne voyez pas la Matière! lui dis-je avec stupeur : et que cette BUCHE...

— Mais, enfin, c'est élémentaire, cela! cria Lenoir, que mon apparente ignardise [73] finissait par exaspérer et qui me regardait de travers. Je vois des attributs de *forme,* de *couleur,* de *polarité,* de *pesanteur* réunis : j'appelle *bois,* un certain agrégat de ces qualités. Mais ce qui *soutient* ces qualités, — la SUBSTANCE, enfin, — que ces attributs couvrent de leur voile, où est-elle?... — Entre vos deux sourcils! Et nulle part! Vous voyez bien que la «Matière» en soi, n'est pas sensible! ne se pénètre pas! ne se révèle pas, et que la «substance» est un être purement intellectuel dont le Monde sensible n'est qu'une forme négative, un *repoussé.*

— Mais, mon pauvre ami, qu'est-ce qu'un être intellectuel, qu'est-ce que la réalité d'une idée, d'une pauvre idée, devant la réalité évidente du fait de cette simple BUCHE que vous niez!

— Je n'ai qu'à jeter cette bûche dans le feu, pour l'effacer : voilà votre BUCHE disparue, devenue autre qu'elle-même. — Qu'est-ce qu'une *réalité* pareille, qui s'efface, qui est et n'est pas à la fois? qui dépend du hasard extérieur? Peut-on bien appeler cela «réalité?»... Allons! — C'est du Devenir, c'est du Possible, — ce n'est pas du Réel; car cela *peut être* aussi bien que ne *pas être.* La Réalité est donc autre chose que cette contingence, et nous voilà revenus cette fois, logiquement, à la question posée au début : *Qu'est-ce que la réalité?*

— Et moi, murmurai-je, endolori par la dialectique paradoxale du docteur, je soutiens, à l'encontre, que ce qui est solide et pesant n'est pas une simple idée, que diable!

— Faites rentrer l'idée de *pesanteur* (puisqu'elle vous éblouit) dans l'idée de *longueur,* par exemple, et vous comprendrez mieux tout cela.

— Dans les mots, c'est possible ; mais les faits matériels ne se prêtent pas à ces fusions et à ces confusions avec autant de bonne grâce que les idées.

— Vous plaisantez, n'est-ce pas ?... dit Lenoir, après un instant. Comment voulez-vous que le fait puisse démentir une idée logique, puisque l'idée logique est l'essence même du fait ?

— Prouvez, alors ! — Essayez, essayez d'appliquer physiquement la théorie !

— Mais... il me suffira de faire glisser un poids sur la longueur d'une barre d'acier pour que la longueur de la barre soulève des pesanteurs mille fois supérieures à celle du poids qui glissera sur cette barre. Vous voyez bien que la longueur et la pesanteur rentrent l'une dans l'autre, aussi bien en fait qu'en idée.

— Phraséologie !... grommelai-je avec humeur : c'est spécieux ; d'accord. Mais au fond, ce sont des mots.

— Et avec quoi voulez-vous que je vous réponde ? fit Lenoir en souriant. Avec quoi me questionnez-vous ? — Vous niez la valeur du mot *mot* avec le MOT lui-même. Est-ce par gestes que vous voulez causer avec moi ?... Le vent souffle, l'instinct hurle, l'idée s'exprime.

— Mon cher Lenoir, m'écriai-je, revenons à la question. — Je puis conclure en affirmant que, comme je ne touche ni ne vois les idées, j'aime encore mieux appeler *réelles* les choses sensibles. Et toute l'HUMANITÉ sera de mon avis.

— Non, dit Lenoir.

— Comment, non ! repris-je pour la troisième fois, en regardant avec tristesse le pauvre Hégélien.

— Si les choses *sont,* si l'*Apparaître* de l'Univers *se produit,* ce ne peut être qu'en vertu d'une Nécessité-absolue. Il y a une raison à cela ! Eh bien, que cette raison soit l'Idée ou autre chose que l'Idée, c'est bien plutôt de l'être-sensible qu'il faudra douter, puisque tout ce qu'il possède de réalité lui vient nécessairement de cette *raison-vive,* de cette Loi-créatrice, et que cette raison, cette loi, ne peut être saisie et pénétrée que par l'Esprit. — L'IDÉE est donc la plus haute forme de la Réalité : — et c'est la Réalité même, puisqu'elle participe de la nature des lois suréternelles, et pénètre les éléments des choses. D'où il suit qu'en étudiant simplement les filiations de l'Idée, j'étudierai les lois constitutives des choses, et mon raisonnement COÏNCIDERA, s'il est strict, avec l'ESSENCE même des choses, puisqu'il impliquera, en *contenu,* cette NÉCESSITÉ qui fait le fonds des choses.

En un mot, je suis, en tant que pensée, le miroir, la *Réflexion* des lois universelles, ou, selon l'expression des théologiens, «je SUIS FAIT à l'image de Dieu!» — Comprendre, c'est le reflet de créer.

Je me touchai le front d'un doigt significatif, en regardant Mme Lenoir, qui, silencieuse, semblait écouter avec une attention profonde les théories écœurantes de son pitoyable époux. Je la plaignais, vraiment, d'avoir choisi un pareil énergumène. Je me versai donc une seconde tasse de thé.

— Ah! votre Dieu n'est pas celui des Théologiens, mon pauvre ami, — lui dis-je, le cœur gros.

— Là n'est pas la question! dit Lenoir. Je parle, en ce moment, Philosophie : mais, *ne croyant qu'aux Sciences-noires,* je n'attribue qu'une importance douteuse, — et, en un mot, toute *relative* — aux principes que je soutiens en ce moment. Cela posé, voyons ce que disent de Dieu vos théologiens. — Dieu, selon Mallebranche, est le lieu des esprits comme l'espace est celui des corps. — Dieu, selon saint Augustin, est tout entier partout, contenu tout entier nulle part. — Qui niera que Dieu soit corps, bien qu'il soit esprit? dit Tertullien. — Dieu, c'est l'Acte pur, dit saint Thomas. — Dieu, c'est le *Père* tout-puissant! — dit le Symbole de Nicée [74]. — Je ne m'arrêterais pas, si je donnais toutes les soi-disant définitions de l'Être-Inconditionnel, dont la notion est inséparable de l'être! Mais l'Esprit du Monde ne se définit pas de la sorte. Ces lueurs et ces images ne sont que profondes : Le mot de Jacob Bœhm, «Dieu est le silence éternel», ne me convainc pas davantage — et je suis sûr que c'est afin d'essayer de se soustraire à l'arrière-pensée, — afin de combler, pour ainsi dire, désespérément, le côté obscur de cette pensée, que l'abbé Clarke [75] ne prononçait jamais

le nom de Dieu sans de grandes démonstrations *physiques*
de Terreur et de Respect.

Hé bien ! conclut Lenoir, je ne sais si le Dieu dont mon
esprit a conscience diffère essentiellement, en sa notion,
de celui des théologiens : je ne sais qu'une chose… c'est
que j'ai PEUR de cet absolu Justicier.

Je ne pus m'empêcher de rire à cette dernière saillie.

— Ne craignez rien, Lenoir ! lui répondis-je, et surout
à ce sujet !… N'exagérons rien, ou nous allons heurter le
Sens-commun.

— C'est vrai ! dit le docteur. Inclinons-nous devant ce
divin Sens-commun, qui change d'avis à tous les siècles,
et dont le propre est de haïr, natalement, jusqu'au nom
même de l'âme. Saluons, en gens « éclairés » ce Sens-
commun, qui passe, en outrageant l'Esprit, tout en suivant le chemin que l'Esprit lui trace et lui intime de
parcourir. Heureusement l'Esprit ne prend pas plus garde
à l'insulte du Sens-commun que le Pâtre ne prend garde
aux vagissements du troupeau qu'il dirige vers le lieu
tranquille de la Mort ou du Sommeil.

Ici, Lenoir ferma les yeux, comme perdu en une vision.

— O Flambeaux ! murmurait-il. Que serait, après tout,
votre gloire, sans les Ténèbres ? Cependant, — ajouta-t-il
en me souriant, — il est des Ténèbres-méphitiques, qui,
incapables de recevoir la Lumière, éteignent les flambeaux.

A cette parole, — je l'avoue, — à cette banale plaisanterie, — oui,… l'idée de la perte de mon ami… me
parut moins affreuse.

— En résumé, dis-je, à quoi, dans le domaine pratique
et positif, peuvent servir toutes ces belles spéculations ?

Lenoir me regarda quelques instants avec une physionomie grave, mais sans me répondre.

CHAPITRE XI

LE DOCTEUR, MADAME LENOIR ET MOI NOUS SOMMES PRIS D'UN ACCÈS DE JOVIALITÉ

> Et mon cœur était si joyeux — que je ne le
> reconnaissais plus pour le mien.
>
> DANTE.

Grâce aux biais évasifs que j'avais, jusque-là, favorisés avec une feinte étourderie et par la docte frivolité de mes interrogats [76], Lenoir (s'il était parvenu à faire valoir l'ingéniosité de son intelligence), n'avait, en revanche, rendu que plus éclatante son impéritie en ces matières transcendantales. Je l'avais, évidemment, entraîné sur un terrain où, malgré tous ses efforts, je pouvais désormais, à loisir, creuser à ses illusions une fosse définitive.

Il se recueillait maintenant, accoudé, la main sur le front, mûrissant probablement quelque énormité nouvelle, indigne d'être soumise à mon critère. Son silence méditatif me prouvait, outre mesure, la vacuité de son âme; car, s'il avait eu quelque chose à dire, il l'eût dit sur-le-champ, comme tout le monde, sans éprouver ce futile besoin de réfléchir, qui est le signe distinctif de l'impuissance et de la défection.

— Je ne vous cacherai pas, m'écriai-je, mon ami, — je puis même dire mon meilleur ami, — que je suis d'avance assez convaincu de la vanité de vos arguments touchant le côté utilitaire de vos bizarres théories. — A quoi cela peut-il servir?... je le répète.

Il rouvrit les yeux et, après un silence :

— Pour vous et vos pareils, cela ne sert pas! — Pour d'autres, dédaigneux de la Mort et pleins du souci de l'Éternité, cela sert à combattre glorieusement pour la Justice, avec la certitude de la défaite.

A ces mots, je ne pus maîtriser un léger cri de frayeur, et ma physionomie exprima un tel effarement, que Lenoir en resta bouche béante.

J'avais senti, en effet, avec une prescience quasi divine, qu'il allait égrener le chapelet interminable des idées subversives de tout ordre social.

Sans ce mouvement instinctif d'improbation, il eût longuement glosé, sans doute, sur « l'indépendance du monde » et se fût bercé de chimères au son de sa propre voix : je vis que ma seule pantomime avait fait litière de ses résolutions, et qu'il n'oserait pas insister là-dessus devant moi.

De quel poids, en effet, pourraient être, aux yeux d'un homme sérieux, ces sortes de pensées soi-disant grandes, généreuses, enthousiastes, alors qu'il suffit qu'elles soient simplement reflétées par mon cerveau et disséquées naïvement par mes lèvres, pour que, — dépouillées de toute vaine fioriture, — elles deviennent d'une aridité capable de provoquer chez les spectres eux-mêmes la nostalgie du sarcophage ?

Lenoir s'arrêta et je lui fus grat [77] de son silence.

— Oui, dis-je, je vous comprends : il s'agit des Peuples !... du Peuple !... Vous espérez le rendre accessible à ces rêves de liberté, de dignité, de justice ?... Mais on n'a pas la ressource de l'amputation avec les âmes gangrenées ; il est des choses irrémédiables qu'on empire en cherchant la guérison. — Le Peuple ?... Certes, personne ne le chérit plus que moi ; mais, de même que ma fonction est de le plaindre, la sienne est de souffrir. S'il était avéré que la Science lui fût bonne, qui de nous — (Moi tout le premier !) — ne lui donnerait son âme, sa vie et son amour !... Malheureusement, la victime, une fois ses liens desserrés, n'a guère d'autre idéal que d'en étreindre le col de son libérateur, car la place des misérables ne saurait demeurer vacante en ce monde, et l'on ne peut en racheter un seul qu'en se substituant à lui, heureux si l'on ne paye par la ruine, la calomnie et la mort, les bienfaits dont on l'a comblé. — Mon ami, la reconnaissance est lourde, bien lourde !... ajoutai-je en reprenant mon ton paterne, et le Progrès des Lumières ne fait que développer chez des créatures naguère inconscientes, inoffensives, et qui jouissaient, au moins, de notre pitié, les instincts de jalousie, de basse haine, d'envie et de trahison!... Et croyez, Lenoir, à ma compétence en ces matières!... Aussi je dis : Périssent les Bienfaiteurs, si leur action doit avoir pour résultat la disparition des victimes! Malheur sur les républiques futures, sur les sociétés idéales, où les hommes sensibles n'auraient plus à verser, comme moi, de douces larmes sur le sort des peuples!... A la seule idée qu'on pourrait me priver de cette satisfaction, il me semble que mes veines charrient de la bile au lieu de sang, mon pauvre ami!

Cette sortie jeta quelque gaieté : Lenoir et sa femme ayant poussé l'aliénation mentale jusqu'à s'imaginer que je plaisantais. Charmé de leur erreur, je crus devoir renchérir sur leur joie. S'ils m'eussent connu plus à fond, je doute qu'ils se fussent aussi grossièrement mépris à ce sujet. J'ai remarqué, en effet, une chose bizarre et qui, m'étant spéciale, m'intrigue parfois : c'est que mes espiègleries, à moi, ont toujours fait pâlir.

Je remplis donc le salon d'un de ces éclats de rire qui, répétés par les échos nocturnes, faisaient jadis, — je m'en souviens, — hurler les chiens sur mon passage!... — Depuis, j'ai dû en modérer l'usage, il est vrai, car mon hilarité me terrifie moi-même. J'utilise, d'ordinaire, ces manifestations bruyantes dans les grands dangers. C'est mon arme, à moi, quand j'ai peur, quoique ma peur soit contagieuse : ce m'est un sûr garant contre les voleurs et les meurtriers, quand je suis dans les lieux écartés. Mon Rire mettrait en fuite, mieux que des prières, les fantômes eux-mêmes, car Moi, je n'ai jamais pu contempler les Cieux-étoilés! — et les Esprits dont j'invoque la protection habitent des astres blafards.

Toutefois, je ne tardai pas à m'apercevoir que ce que j'avais pris pour un sourire, chez Mme Lenoir, était simplement un effet d'ombre — que la lampe avait projeté sur son visage.

Je dus reconnaître également, que le Docteur m'avait induit en erreur par un certain tic nerveux — accompagné d'une quinte de toux que j'avais prise pour un éclat de rire. Il avait aspiré de travers la fumée de son cigare, en m'écoutant.

Et je compris que j'avais été le seul bon vivant de nous trois, avec mon accès de gaieté.

CHAPITRE XII

UNE DISCUTEUSE SENTIMENTALE

> Et Satan : — « Pensées, où m'avez-vous
> conduit ! »
>
> MILTON.

Nous remplîmes, de nouveau, nos tasses de thé, et entre deux cuillerées de kirsch :

— Mon ami, interrompis-je, au lieu de vivre chez soi, tranquillement, sans ambition ni casse-tête spéculatifs, à quoi bon se préoccuper de toutes ces choses en l'air ? — (Ici je clignai de l'œil.) — Nous ne saurons jamais *le fin mot* de tout cela !

J'ai dit que Lenoir était un maniaque de philosophie : mais, — en vérité ! — je ne pouvais m'attendre à ce qu'il reprît, comme en bondissant, la discussion, insipide et oiseuse, de tout à l'heure !...

— Ah ! çà, mais, s'écria-t-il, il me semble que nous faisons partie de « tout cela », bon gré, malgré nous !... Dès lors, nous sommes fondés à nous en occuper ! — et tout paraît, au contraire, nous témoigner que nous pouvons en découvrir « le fin mot ! » Car, enfin, regardez : la dialectique de la Nature est la même que celle de notre cerveau : ses œuvres sont ses idées : « L'arbre pousse par syllogisme », comme le dit Hégel. Les choses sont des pensées vêtues d'extériorités diverses, et la Nature produit comme nous pensons. Aussitôt que nous retrouvons les rapports d'un phénomène avec notre logique, nous le classons, nous prononçons sur lui ce seul mot : la Science ; — et à dater de ce moment, nous en sommes maîtres.

Il nous est donc permis de compter, quelque peu, sur la valeur de notre Raison — même en ce qui touche la Solution-suprême du rébus de l'Univers. Pourquoi pas ? Quant à... DIEU... marchons et agissons comme si... Quelqu'un... devait nous comprendre, — et comme si nous ne devions pas mourir. C'est encore là ce que j'appelle combattre pour la Justice.

Claire, à ces mots, murmura dans l'angle sombre où elle était :

— Mon ami, le défini d'une telle destinée ne suffit pas à l'idée que nous avons de nous-mêmes, — et, quand j'ai dit, tout à l'heure, que « l'Esprit de l'Homme était sans limites », je sous-entendais, vous le savez, « s'il est éclairé par l'humble et divine Révélation chrétienne. »

A ces mots, je tressaillis, je l'avoue, la prenant presque au sérieux.

— Je te vois venir, toi !... pensais-je. Voici poindre, à l'horizon, la Tache-originelle et la Vallée de larmes. — Conséquences : en politique, Sacerdoce et Monarchie ; — en économie sociale, la Propriété au présent basée sur la Charité au futur ; — en Histoire, les Bollandistes [78] ; — en Science, Josué. — Sinon, mon très cher frère, je te séquestre, te torture, te tue, et ferai buriner sur ta pierre, par tes partisans : « Ci-gît un martyr. » Système de dessert, à l'usage des dames : connu !

Je saisi donc la balle au bond pour prendre, sur Mme Lenoir, une revanche éclatante des deux ou trois moments que les paradoxes, assez serrés, de Lenoir m'avaient fait passer — et dont mon cœur ulcéré ne pardonnerait jamais l'humiliation.

Je fis donc, moralement, volte-face : je changeai de principe, sans avertir : — c'est-à-dire que — sans lâcher précisément l'idée de Dieu — je me proposai d'en tirer des conséquences d'athée, — afin de parvenir à mon unique but — qui était de brouiller les cartes au point que chacun de nous discutât et criât sans savoir pourquoi.

— Permettez, balbutiai-je, permettez ! je crois qu'il y a ici, tautologie. Ici-bas, madame, nous avançons dans un chemin que nous ne pouvons éviter. Pourquoi ce phénomène se produit-il ? Voilà la question. Or, pour l'expliquer, plusieurs ont fait, empiriquement, intervenir l'Intuition (c'est-à-dire l'Induction, à l'insu ou même au su des inspirés). Mais, pour être sur une montagne, il faut avoir gravi un à un les degrés dont cette élévation n'est que la somme, et il n'y a pas d'intuition spontanée. Si la Révélation vient encore enrichir, arbitrairement, le Problème d'une complication nouvelle, — (Ici je me levai en étendant les bras) — il n'y a plus moyen de s'entendre ! — C'est à y renoncer ! Je veux bien croire qu'un Dieu a créé le monde, mais le moyen d'admettre qu'il s'en occupe, jusqu'à nous «révéler» ses voies par l'intermédiaire de tel ou tel, — alors, surtout, que rien ne le prouve d'une façon péremptoire ? Je m'étonne qu'un esprit comme le vôtre se berce encore de pareilles chimères : elles ont fait leur temps.

Je crus licite, en me rasseyant, de savourer l'effet de mon éloquence sur mes interlocuteurs, et mon regard, errant dans l'ombre, glissa vers Mme Lenoir. Elle n'avait point quitté son impénétrable maintien près de la fenêtre et son silence commençait aussi à m'inquiéter. Je me sentais observé par ses pénétrantes et inquisitoriales prunelles — dont ses lunettes me dérobaient l'expression maudite.

— Eh bien ! Claire ? murmura le docteur ; vous ne répondez pas ?

— Oh ! monsieur ! répondit, en souriant, la belle Claire, vous savez bien que les arguments qui ont suffi jusqu'à présent pour confondre la dialectique de notre ami ne sont pas absolus, — et je ne suis pas jalouse d'achever sa triste défaite.

Je considérai, en tapinois, et avec une stupeur mal dissimulée, celle qui ne frémissait pas d'envenimer ma plaie à ce degré monstrueux, — mais, à ces damnables paroles, je ne trouvai rien à répondre. Je cherchai une saillie, une épigramme sanglante, un biais ; je fis appel à la mauvaise foi. Tous les efforts de mon cerveau demeurèrent infructueux. Et, quand cette preuve blessante de mon impuissance me fut bien démontrée, le dépit, l'indignation, la haine aveugle commencèrent à m'envahir. Mon cœur secouait et sonnait le glas dans ma poitrine : la

fureur, la soif de vengeance, de vagues idées de meurtre,
tous les plus vils sentiments, enfin, montèrent affreusement jusqu'à ma gorge, et se reflétèrent brusquement sur
mon visage par un demi-sourire approbatif et béat.

Cependant, mon geste, mon attitude, l'encourageaient
à continuer.

— Le fait est, murmurai-je par contenance, que les
affirmations de Lenoir rendraient jaloux — si elles ne le
faisaient rougir — monsieur de la Palice.

— Mais vous m'avez attristée, — continua Claire, de
sa belle voix grave et mystique, — lorsque vous avez
déclaré tout à l'heure que la Science nous suffisait pour
éclaircir l'énigme du monde et que de marcher à sa lueur
d'emprunt suffisait aussi à l'homme juste pour s'acquitter
envers Dieu.

Lenoir baissa les yeux avec un sourire assez singulier;
je voulus lui venir en aide, — comme je sais venir en
aide.

— Vous vous répétez, ma bonne amie!... balbultiai-
je: — vous récriminez sans trancher la difficulté! De
quel droit faire intervenir une «simple croyance» en
philosophie?

— Je sais des hommes que l'on ne saurait accuser de
se répéter, attendu qu'ils n'ont jamais rien dit, — me
répliqua la douce créature.

Et se retournant vers Césaire:

— Quand je pense la Lumière, continua-t-elle, mon
très humble esprit coïncide avec CE qui fait que toute
lumière peut se produire. — L'Esprit, en qui se résout
toute notion comme toute essence, pénètre et se pénètre,
irréductible, homogène, un. — Et, quand je pense la
notion de Dieu, quand mon esprit *réfléchit* cette notion,
j'en pénètre réellement l'essence, selon ma pensée; je
participe, enfin, de la nature même de Dieu, selon le
degré qu'il révèle de sa notion en moi, Dieu étant l'être
même et l'idéal de toutes pensées. Et mon Esprit, selon
l'abandon de ma pensée vers Dieu, est pénétré par Dieu
— par l'augmentation proportionnelle de la *notion-vive*
de Dieu. Les deux termes, au bon vouloir de ma liberté,
se confondent en cette unité qui est moi-même: — et ils

se confondent sans cesser d'être distincts. Or, la Révéla-
tion-chrétienne, étant la conséquence et l'application de
cet absolu principe, je n'ai pas à la traiter de « chimère qui
a fait son temps » puisqu'elle est de la nature de son
principe, c'est-à-dire éternelle, inconditionnelle, immuable.

— Ma chère madame Lenoir, repris-je, je crois que
vous vous faites une trop grande idée de Dieu. Il n'est
qu'infini, que nécessaire, qu'inconcevable, — qu'étonnant ! Pourquoi toujours le faire intervenir dans les
conversations ? Rappelez-vous que Kant avait un vieux
domestique nommé Lamb[79], qui supplia son maître de
reconstruire les preuves de l'existence d'*un* Dieu, radicalement détruites par le grand philosophe. — Nous
avons, aussi, en nous tous, on ne sait quel vieux domestique qui demande un Dieu. Soyons plus sensés que Kant :
méfions-nous du premier mouvement ; sachons répondre
par un sourire… — mélancolique ? — Et n'acceptons de
telles données que sous bénéfice d'inventaire. L'héritage
de nos premiers parents, à franc-parler, me paraît d'ailleurs le mériter au-delà de toute expression !!!

Ce fut la goutte d'eau froide.

Toutefois Mme Lenoir me répondit placidement :

— Pourquoi ne pas demander à l'Infini même un
Dieu ? Ne faut-il pas qu'il réalise toute pensée ? (Car que
serait un prétendu Infini qui serait borné à cette impuissance de réaliser une pensée de l'Homme ?) Et comme
Dieu, vous dis-je, est la plus sublime pensée dont nous
puissions concevoir l'intime notion, nous sommes infiniment insensés si nous nous efforçons de la détruire en
nous (ce qui d'ailleurs est impossible).

Je me tus, ne voulant pas laisser voir ce qui se passait
en moi.

— Soit ! reprit Césaire. Mais, ma chère amie, — nul
ne pourrait, aujourd'hui, récuser l'évidence du développement de l'Homme — et n'en pas tenir un compte des
plus sérieux. Après tout, le Progrès n'exclut pas la Révélation : — le châtiment initial demeure quand même, bien
que, grâce aux sueurs de nos fronts, il diminue d'intensité : voilà tout. — La Révélation ne nous gêne pas :

— (je la vois partout, moi)! — Vous êtes donc très libre et très sage de vous y confiner. — Seulement, *en métaphysique,* je suis obligé, moi, de ne tabler que sur le Progrès — humain, *par la Science.*

— Ah! s'écria-t-elle, comment vous suffit-il de ne vous développer, vous Homme, qu'à travers une série d'expressions relatives dont la somme constitue votre Science! Dans ce cas, au lieu d'être de parfaits-animaux, nous sommes, seulement, des animaux qui s'améliorent et qu'un Progrès indéfini enferme à jamais dans une loi proportionnelle! Si même la chose était absolument vraie, ce ne serait point là de quoi s'enorgueillir; car, dans mille ans, avec ce système, nous creuserions encore, comme les taupes: qu'importe la grandeur, la splendeur et la profondeur du trou, si nous savons que ce trou doit ensevelir toute notre destinée? si nous sommes voués à la Mort, enfin, vers laquelle nous marcherons d'un pas toujours plus rapide, — les cieux, d'après les affirmations même de la Science la plus positive, devant se faire, tôt ou tard, brûlants ou mortels. — A peine si nous pouvons examiner un passé de six mille ans, à peine notre apparition date-t-elle de quelques heures, — et nous osons fonder sur un grain de sable nos suprêmes espérances, alors qu'un rien nous fera, sans rémission, rentrer dans la poussière, dans les ténèbres, dans le Nul.

— Mais, m'écriai-je, la catastrophe dont vous parlez n'aura lieu que dans un laps de temps si considérable qu'il est presque absurde d'y songer! Conquérons, d'abord, sur la Nature, notre indépendance, et nous verrons plus tard. — D'ailleurs, après nous le Déluge!... et, ma foi, — au petit bonheur!

— Mais nous serons toujours en dépendance, reprit-elle, par cela seul que nous sommes forcés de penser. *Il faut* croire à la Pensée: nier ceci n'étant qu'une pensée encore. Et c'est pourquoi nous n'avons pas une action, pas une idée, pas un raisonnement, qui n'ait son principe dans la Foi. Nous croyons en nos sens, en notre doute, en notre progrès, en notre néant, bien que cela soit douteux, rigoureusement parlant, puisque rien ne se prouve. Le scepticisme le plus profond débute par un acte de foi.

Or, puisqu'*il faut* que nous choisissions, choisissons le mieux possible ! Et puisque la Croyance est la seule base de toutes les réalités, préférons Dieu. La Science aura beau m'expliquer à sa façon les lois de tel phénomène, je veux continuer à ne voir, moi, dans ce phénomène, que ce qui peut M'AUGMENTER l'âme et non ce qui peut l'amoindrir. Si les mystiques s'illusionnent, qu'est-ce qu'un Univers inférieur même à leur pensée ? Dans la Mort, est-ce la logique de deux abstractions qui me rendra mon propre Infini-divin perdu ?

Non ! Non. Je fermerai donc les yeux sur un monde où mon esprit a l'air d'un étranger. Peu m'importe si les lois du mécanisme des astres sont pénétrées, puisqu'elles ne m'apprennent qu'une destruction certaine ! Tentations, que ces étoiles qui s'éteindront ! Illusion, que le « scientifique » avenir ! L'Histoire des temps modernes, c'est l'histoire de l'Humanité qui entre en son hiver. Le cycle sera bientôt révolu. — Comme les sages des vieux jours m'en ont donné l'exemple sacré, je ne saurais hésiter, moi chrétienne et pécheresse, entre votre « siècle de lumières », et la Lumière des siècles.

CHAPITRE XIII

LES REMARQUES SINGULIÈRES
DU DOCTEUR LENOIR

> L'Ecclésiaste a dit : « Un chien vivant vaut
> [mieux
> Qu'un lion mort. » Hormis, certes, manger et
> [boire,
> Tout n'est qu'ombre et fumée, et le monde est
> [très vieux,
> Et le néant de vivre emplit la tombe noire.
>
> LECONTE DE LISLE [80].

Eu égard au mépris furieux qui m'avait étouffé pendant le cours de cette diatribe, je dus faire jouer le nœud de ma cravate, et, ne sachant comment exprimer, d'une façon copieuse, ma pitié pour de telles doctrines, je me contentai de prononcer huit fois de suite le mot : «*Brava!*» de ma voix la plus flûtée et d'un air de joie enthousiaste.

Une chose me fit plaisir : le docteur, silencieux, s'était assombri à vue d'œil.

Je me frottai les mains ; ils différaient d'opinion, la chose était certaine. Peu m'importait sur quel point, — leurs deux convictions me paraissant également absurdes. — L'essentiel devenait de les exciter l'un contre l'autre, de les mettre aux prises, afin de me poser en juge et d'avoir le dernier mot, par cela même — (quitte à penser à mes affaires, sous un air d'attention profonde, pendant qu'ils ergoteraient).

J'espérais même tout doucement que, par mes soins, ce ménage modèle allait bientôt en venir aux mains, ou, — tout au moins, — se prendre aux cheveux à propos de « l'Immortalité de l'âme », et je m'apprêtai, d'avance, à clore le tout par d'amples gorges chaudes.

En ces conjonctures, je résolus de partager l'avis de
Lenoir — quel qu'il pût être ! Car les théories de sa
femme avaient pour spécialité d'énerver mon cerveau
jusqu'à lui faire perdre le sentiment de lui-même.

Aussi le Lecteur qui, sans doute, avec son tact ordinaire, s'attend, comme moi, à quelque collision, — toujours fâcheuse entre époux, — comprendra-t-il quelle dut
être ma surprise — (je dirai presque mon désappointe-
ment), — lorsque j'entendis Lenoir murmurer ces paroles
étranges :

— L'intelligence de Claire est une glace profonde,
limpide, où ne se reflètent que de sublimes vérités, et je
suis fier d'aimer à jamais son être admirable.

A ces mots, je regardai Claire : il me sembla qu'elle
devenait livide.

Césaire s'était levé : il fit un pas vers sa femme et,
s'inclinant tout à coup, il lui baisa la main, longtemps, en
silence, avec une passion dont la ferveur sauvage,
— concentrée et contenue — m'étonna de la part d'un
homme de quarante-six ans !

Puis il revint s'asseoir à ma droite.

Il se passa quelques secondes durant lesquelles je ne
perçus distinctement que le bruit de la houle : je sus les
mettre à profit en rassemblant mes facultés éparses.

— Oui, l'Idéal ! ajouta Lenoir (qui continuait de tourner brusquement casaque aux principes dont il s'était fait
jusque-là le banal champion), oui, l'Espérance invinci-
ble ! la Foi ! quoi de plus *positif,* après tout ? N'est-ce pas
Swédenborg qui a dit : « La croyance est au-dessus de la
pensée autant que la pensée est au-dessus de l'instinct ! »
En effet, croire : cela suffit. Et quand je m'efforce d'affirmer   l'autocratie   d'une   philosophie   quelconque
— (alors qu'il y en a autant que d'individus) — lorsque
je me bats les flancs, enfin, pour défendre les arguties de
la Science, — si vaine en ses résultats réels, si orgueilleuse en ses troublantes apparences, — je conviens, oui,
je conviens que je réprime toujours en moi-même une
immense envie de rire.

Et il se détourna vers moi :

— Si l'on savait, ajouta-t-il, jusqu'à quel point la

force vive de l'Idée est surprenante et terrible dans les
sphères de la Foi! La puissance d'une imagination, d'un
rêve, d'une vision, dépasse quelquefois les lois de la vie.
La *Peur,* par exemple, l'idée seule de la Peur superstitieuse, sans *motif extérieur,* peut foudroyer un homme
comme une pile électrique. Les choses vues par un visionnaire sont, au fond, *matérielles* pour lui à un degré
aussi positif, tenez, — que le Soleil lui-même, cette
lampe mystérieuse de tout ce système fantasmagorique de
création, de disparition, de transformation! — Avez-
vous réfléchi sur ces monstres humains tigrés de taches
bicolores, de fourrures, — sur les céphalopodes, les
hommes-doubles, les fautes horribles de la nature, enfin,
provenues d'une sensation, d'un caprice, d'une *vue,*
d'une IDÉE, pendant la gestation de la femme? Avez-
vous médité les explications enfantines de la Physiologie
à ce sujet?

Si j'ouvre les annales médicales, touchant la réalité
presque *pondérable* de l'Idée, tenez, je trouverai, à chaque instant, des faits comme celui-ci: je cite le texte
même: — «Une femme, dont le mari fut tué à coups de
couteau, mit au monde, cinq mois après, une fille qui, *à
sept ans,* tombait dans des accès d'hallucination. Et
l'enfant s'écriait alors: — «Sauvez-moi! voici des
hommes armés de couteaux qui vont me tuer!» — Cette
petite fille mourut pendant l'un de ces accès, et l'on
trouva sur son corps des marques noirâtres, pareilles à du
sang meurtri, et qui correspondaient, sur le cœur, malgré
les dissemblances sexuelles, aux blessures que son père
avait reçues sept ans auparavant, pendant qu'elle était
encore *en deçà* des mortels.»

Appelez ceci comme vous le voudrez, je demande en
quoi l'ombre, l'idée, diffère décidément de ce que vous
appelez la *réalité sensible,* si le simple *reflet* d'une sensation étrangère a le pouvoir de s'instiller, de s'infiltrer
mortellement dans l'essence de notre corps. Quoi! une
ombre — qui n'est qu'une ombre — nous tue malgré
cela?... Réfléchissez.

Ouvrez maintenant les physiologistes: — Béclard définit la Vie, l'organisme en action, et la Mort, l'orga-

nisme au repos. — Le premier mot de Bichat est celui-ci :
La Vie est l'ensemble des fonctions qui résistent à la
Mort. — Consultez, depuis Harvey, les meilleurs traités :
relisez les fameuses recherches de Broussais [81] sur le
sang, vous verrez que si un grand physiologiste a pu
s'écrier : « Sans phosphore, point de pensée [82] ! » la plupart d'entre eux, surtout les plus récents (et ce sont les
plus logiques avec eux-mêmes), n'admettent ni l'idée de
la Vie, ni l'idée de la Mort, ni même celle de l'Organisme [83]. — Maintenant, revenus des principes absolument divergents et contestables de la Physiologie, rap-
prochez simplement ce fait, que je vous ai cité entre
mille, rapprochez-le des phénomènes présentés, par
exemple, par le délire des mourants. C'est alors que les
visions commencent à être *un peu plus réelles!* que
dis-je ? à être les seules choses méritant le titre de réalité.
La Mort, c'est l'Impersonnel; c'est la réalité de ce qui
maintenant n'est que vision. Il est *certain,* pour moi, que
nos actions y deviennent un second corps et que le Passé
se réaffirme dans la Mort comme de la chair.

Le passé est une ombre, et nous sentons bien, d'instinct, que la Mort est le domaine des ombres. — La Mort
et la Vie ne sont que de rigoureuses conséquences de la
dialectique éternelle ; et, par cela même que ce sont des
nécessités, constituant la double face de l'Existence, elles
trouvent, comme le reste, en effet, leur essence dans
l'Esprit. « La Pensée étant donnée, la Mort est donnée par
cela même ! » a dit le Titan de l'Esprit humain [84] : et c'est
cela seul qui peut *prouver* l'Immortalité. « Supprimez la
Pensée, il restera des substances qui pourront tout au plus
être *éternelles,* mais qui ne seront pas *immortelles ;* car la
Mort ne commence que là où s'éteint et disparaît la
Pensée. La Mort, créée par l'Esprit comme la Vie, relève
de l'Esprit. »

Et ce que nous appelons la Mort, n'est, en effet, que le
moyen terme, ou, si vous préférez, la négation nécessaire, posée par l'Idée pour se développer jusqu'à l'Esprit, à travers la Pensée [85].

J'irai presque jusqu'à dire que nous pouvons avoir,
même dès à présent, de ce côté-ci du Devenir, quelques

lueurs des épouvantes qui nous attendent, et que notre propre passé nous réserve. — Rappelez-vous ces milliers d'individus, noyés ou pendus, qui, à la dernière minute de la suffocation, au moment où ils allaient mourir, ayant été secourus et rappelés à la vie, ont tous affirmé s'être vus sur le point de *passer* dans toutes leurs actions, dans toutes leurs pensées, les plus oubliées, et cela d'une manière inexprimable à la langue des vivants. — La vraie question n'est donc pas de savoir si « l'âme est immortelle », puisque c'est d'une évidence qui ne se prouve pas plus qu'aucune autre. La question est de savoir *de quelle nature peut être cette immortalité et si nous pouvons, d'ici-bas, influer sur elle*.

— Alors, m'écriai-je complètement ahuri par ce flot de paroles incohérentes et saugrenues, vous croyez — (je me sentis rougir de ma phrase !) — vous croyez réellement à une certaine « matérialité » de l'âme ?

— Je crois, du moins, — en dehors de tous vains sophismes dialectiques — répondit Lenoir, — que, par exemple, la force de Suggestions que peut exercer, — *du fond de la* TÉNÈBRE, — un défunt vindicatif sur un être vivant qui lui fut familier, — (auquel, par conséquent, le rattachent obscurément mille et mille fils invisibles), — oui, je crois, dis-je, que cette force de Suggestions peut, sur cet être, devenir oppressive, meurtrière, formidable, — *matérielle,* enfin — durant un temps indéterminé. Car il est des défunts vivaces ! en qui la Mort, elle-même, n'abolit pas *immédiatement* les sentiments et les passions.

Je vis qu'il fallait en finir avec des fumisteries dont l'horreur commençait à m'impressionner moi-même.

— Mon ami, lui dis-je, permettez-moi de vous citer Voltaire, un bel esprit comme vous : « Quand celui qui parle ne se comprend plus, quand celui qui écoute n'est plus à la conversation, on appelle cela de la métaphysique. »

Lenoir me regarda silencieusement.

— C'est vrai, dit Claire en s'approchant de nous : mais le même personnage a dit aussi, quelque part, dans le conte du Phénix[86] : « La résurrection est une idée toute naturelle : il n'est pas plus étonnant de naître deux fois *qu'une*. »

— Oh ! dis-je, la résurrection… c'est pour rire, voyez-vous, que Voltaire, un esprit droit, a laissé échapper ces folies.

— Bon ! répondit Claire en souriant, si vous mettez en question la persistance de la personnalité dans la Mort, je pourrai vous montrer que c'est là une dépense d'esprit inutile. Et, d'abord, je voudrais bien savoir si elle n'est même pas en question dans la Vie ? Où le *moi* est-il bien lui-même ? Quand ? A quelle HEURE de la vie ? Votre *moi* de ce soir est-il celui qui sera demain ? celui d'il y a cinquante ans ? — Non.

Nous sommes les jouets d'une perpétuelle illusion, vous dis-je ! Et l'Univers est bien réellement un rêve !… un rêve !… un rêve !…

— Un mauvais rêve, même ! ajouta Lenoir tout pensif : car, je ne puis que le répéter avec stupeur, — tout ce que j'ai appris de philosophie n'a pas modifié la nature inquiétante et *farouche* qui est en moi, et j'ai peur de devenir, une fois pour toutes, — *en quelque autre système de visions,* — ce que je suis.

Ah ! si j'avais, comme Claire, le tremplin de la Foi pour sauter hors de ces mornes pensées, dont je suis le hagard prisonnier !… Mais voilà, je suis TROP de ce monde : je ne sais pas, au juste, — en un mot, — où *deux et deux pourraient bien ne pas faire quatre*. Et cependant !…

CHAPITRE XIV

LE CORPS SIDÉRAL

« Des mots ! des mots ! des mots. »
SHAKESPEARE, *Hamlet*.

Lenoir articula ces mots sur un ton qui glaça, définitivement, le sourire sur mes lèvres ; et il me sembla, tout à coup, que, pendant notre causerie, la Nuit elle-même s'était approchée et qu'elle allait, à son tour, donner ses arguments et se mêler à la discussion. Le fait est que la simple nuit du dehors, où les souffles froids faisaient claquer leurs lanières sur les vagues, roulait maintenant, sous d'épais nuages, son horreur sans astres. Ce changement d'impressions fut si rapide que je me crus halluciné. Il me parut que nous devenions d'une grande pâleur ; les rideaux de la fenêtre remuaient ; nous étions sous l'influence de Minuit.

Je sentis alors le mal héréditaire qui est en moi se réveiller au profond de ma nature, et, ne pouvant supporter la vue de l'espace désolé, je me levai précipitamment, et fermai la croisée avec ce tremblement de mauvais présage qui est chez moi l'avant-coureur des angoisses de l'enfer.

Ah ! cette maladie ! comment cela se fait-il ? N'est-ce pas affreux ?

Toutefois, je dissimulai de mon mieux l'état de mes sensations et ce fut d'un air indifférent que je répondis à Lenoir :

— Prétendez-vous inférer par là que vous avez en vous un autre personnage que vous-même, docteur ? —

Diable! ce serait fort inquiétant, je l'avoue, surtout pour l'état de votre bon sens.

— Mais vous-même, Bonhomet, répliqua Lenoir après un silence et en attachant sur mes yeux ses prunelles étincelantes, — vous-même, pourriez-vous me dire *si l'être extérieur, apparent, que vous nous offrez,* qui se manifeste à nos sens, est réellement *celui que vous savez être en vous?*

Cette question inattendue me remua la conscience. Je regardai le docteur sans répondre.

— Et, continua-t-il, cet être extérieur, seul accessible et perceptible, n'a-t-il pas toujours en lui son spectateur, son contradicteur, son juge?

— Oui, dis-je, c'est la théorie des anciens: *Homo duplex* [87]; — où voulez-vous en venir?

— A ceci, que ce compagnon intérieur, cet être occulte, est le seul RÉEL! et que c'est celui-là qui constitue la personnalité. Le corps apparent n'est que le *repoussé* de l'autre, c'est un voile qui s'épaissit ou s'éclaire selon les degrés de translucidité de qui le regarde, et l'être-occulte ne s'y laisse deviner et reconnaître que par *l'expression* des traits du masque mortel. — L'organisme, enfin, n'est qu'un prétexte au corps lumineux qui le pénètre [88]! Et l'on ne songerait jamais à son corps, — excepté, peut-être, pour en entretenir la vie, — si l'on était seul. — Remarquez-le: si deux hommes sont liés ensemble par un sentiment quelconque, ils finissent par oublier peu à peu les détails de leur aspect: *ils ne se voient plus;* ils sont en relation d'une manière plus profonde, et c'est leur être moral qu'ils voient réciproquement; ils savent qui ils sont, sous le simulacre palpable.

— Ceci est spécieux, — murmurai-je pour dire quelque chose.

— Et c'est ce qui donne la clef de bien des contradictions mystérieuses, ajouta le docteur. Le corps apparent est même si peu le réel que, fort souvent, *ce n'est pas un homme qui habite dans la forme humaine.*

— Oh! oh!... m'écriai-je, avec une crispation nerveuse, car il me sembla qu'un caïman venait de tressauter en moi.

— Quoi ! n'avez-vous jamais vu prédominer le type d'un animal, — de plusieurs animaux quelquefois, — sur une physionomie [89] ? Eh bien ! observez avec attention les mouvements familiers, les instincts, les tendances de l'individu chez lequel prédominera le type de l'*ours,* par exemple, ou du *tigre,* et vous éprouverez l'obscure vision, en lui, d'on ne sait quel être fauve fourvoyé dans une enveloppe étrangère. Croyez-vous qu'il soit beaucoup d'hommes et de femmes, conformes à leur notion, dans l'Humanité terrestre ? L'homme n'est qu'un animal divin, différencié des autres par l'Idéal ! — Et celui en qui le souci des choses-éternelles n'est pas en éveil sans cesse au fond de sa conscience, celui-là tient encore de l'animal et n'est pas tout à fait sorti des ténèbres : celui-là n'est pas l'HOMME, en réalité, et l'expression de sa physionomie le trahit à chaque instant, malgré sa forme apparente. De même la Femme conforme à sa notion est celle qui, reflétant les espérances sublimes, comme une glace limpide et profonde, élève l'amour et l'espérance au-delà de la Mort. Pensez-vous que de tels êtres soient nombreux dans notre espèce ? Allons ! soyez-en persuadé, les villes sont semblables aux forêts, — et il n'est pas difficile d'y retrouver les bêtes féroces.

— Vous croiriez que la plupart des vivants, interrompis-je…

— Sont engagés encore dans les liens inférieurs de l'Instinct, sont des bêtes invisibles, transfigurées par leur travestissement, si vous voulez, — dit le docteur, en riant d'un rire qui me montra deux rangées de dents à faire honneur aux maxillaires d'un Caraïbe, — mais *sont* des BÊTES RÉELLES ! — Et, ajouta-t-il, les traits de leur visage (dans l'expression desquels transparaît l'essence lumineuse de leur véritable organisme) le prouvent surabondamment. De là leur natale haine pour la Pensée ! leur soif, inextinguible, *organique,* foncière, d'abaisser, d'aniaiser, de profaner toute noble et pure tendance ! de là leur mépris *grotesque* de tout art sublime, de toute charité désintéressée, de tout ce qui n'est pas bas et impur — comme leurs préoccupations, leurs actes et leurs œuvres ! — De là leur façon de démontrer la justice de leurs

opinions avec des coups et du sang ! de là leur impossibilité de comprendre l'Homme véritable, issu de l'En-haut !
Oui, vous dis-je, et croyez-le bien, le corps apparent n'est
pas le réel ; il change d'atomes à chaque instant, il se
renouvelle *entièrement* à chaque révolution de six ou sept
mois ; il n'EST PAS, à proprement parler. Ce n'est que
du devenir dans le Devenir. C'est sa *forme,* son idée,
son unité impalpable qui *est,* et sur laquelle se superpose son Apparaître. Et l'une des preuves *physiques*
de ceci, c'est que les physionomies se bestialisent ou
s'illuminent aux approches de la Mort, d'une manière
frappante, pour qui a, dans les prunelles, de quoi regarder !

— Mais, c'est l'*Ame,* tout bonnement, dont vous
voulez parler, mon ami ! interrompis-je ; et alors... ce
serait *Homo triplex,* qu'il faudrait dire !

Lenoir ne répondit que par un léger haussement
d'épaules.

— Et moi, et moi-même, s'écria-t-il tout à coup, tenez ! le croiriez-vous jamais ? Je sens en moi des instincts
dévorateurs ! J'éprouve des accès de ténèbres, de passions
furieuses !... des haines de Sauvage, de farouches soifs de
sang inassouvies, *comme si j'étais hanté par un cannibale !...* Oui, c'est fou, mais c'est ainsi : et je connais bon
nombre de docteurs aliénistes qui en pourraient avouer
autant d'eux-mêmes, si leur gagne-pain ne les contrai-
gnait pas au calme, à la dissimulation et au silence. Et,
lorsque je quitte le royaume de l'Esprit, je distingue très
bien cette nature infernale, en moi !... C'est la *vraie !* Et
toutes les spéculations métaphysiques me paraissent alors
comme une filiation de miroitantes billevesées, incapables non seulement de me racheter de cette horrible *forme*
intellectuelle, — presque diabolique — mais de me donner un seul instant de stable espérance ! C'est pourquoi je
redoute ce vestiaire qu'on appelle la Mort [90]. C'est pourquoi je ne suis pas tranquille, vous dis-je !... Non, je me
connais trop pour l'être jamais !

Une heure sonna. Je me levai ; j'étais un peu remis de
mon attaque nerveuse ; Lenoir ayant, cette fois, été par
trop excessif, ayant dépassé en un mot le but, à force de

l'exagérer. Décidément je trouvais de plus en plus ineptes ses lubies superficielles.

— Nous reprendrons cet entretien, fis-je, en souriant.

— Oui, dit-il, préoccupé et toujours un peu sombre.

Et, tirant de sa poche une petite édition portative de la Bible, il termina sa péroraison en s'écriant :

— Nous nous occuperons aussi de ce livre-là ! (Et il tapait sur la couverture comme sur une tabatière.)

Il l'ouvrit machinalement, au hasard, et tomba sur le chapitre des lois de Moïse consacré à l'adultère et à ses châtiments [91].

Le passage une fois lu, il moucha son grand nez avec un bruit dont je me sentis alarmé. Il y eut un silence pendant lequel il m'examina comme pour juger de l'effet produit sur mon être par ce style.

J'avais remarqué seulement qu'à ce mot « l'adultère » Mme Lenoir avait longuement et silencieusement tressailli dans son fauteuil. Mais ce ne fut là, sans doute, qu'un mouvement nerveux éveillé soit par le souvenir de quelque amourette de bal, soit par la fraîcheur du soir et de la mer. Les verts fourrés de Paphos [92] auront toujours leurs mystères, et le petit dieu malin sait bien ce qu'il fait : du moins, telle fut mon opinion.

Quant au lieutenant, quant à sir Henry Clifton, l'idée ne m'en vint même pas !

Lenoir ferma brusquement la Bible et ajouta très bas, comme à lui-même :

— En effet, comment pardonner à l'adultère ? O rage ! cette idée-là m'affole, je le confesse ! — Oui, je sens que j'assouvirais ma vengeance — et que la perte des paradis ne l'arrêterait pas, — même dans les régions de la Mort, — si...

Et son regard tourné vers sa femme alla se briser sur les lunettes vertes et sur le visage terne.

Claire se leva, prit un bougeoir allumé :

— Tu n'y penses pas, dit-elle : notre ami a besoin de repos.

Et elle me tendit le bougeoir en souriant.

Une minute après, je m'endormais en riant à chaudes larmes, dans mes draps, de ce couple fantastique.

CHAPITRE XV

LE HASARD PERMET A MON AMI DE VÉRIFIER INCONTINENT SES THÉORIES HUMILIANTES

> La Mort est femme, — mariée au genre humain, et fidèle. — Où est l'homme qu'elle a trompé?
>
> HONORÉ DE BALZAC.

Je passe rapidement sur l'existence charmante et retirée que nous menâmes tous trois pendant une dizaine de jours, après lesquels mon pauvre ami, couché sans vie dans sa chambre et le drap mortuaire ramené sur le visage, reposait entre deux cierges.

Il avait été emporté brusquement, hélas! par une attaque d'apoplexie foudroyante, causée par l'abus, vraiment immodéré, du tabac à priser. Je l'avais, maintes fois, averti des inconvénients de cette herbe terrible — et des dangers qu'il bravait, pour ainsi dire, en se jouant. J'avais échoué.

Dédaigneux des remontrances de sa tendre femme qui s'était jetée plus d'une fois à ses pieds, le conjurant, au nom des sentiments les plus sacrés, de renoncer à son immonde passion, il ne diminuait même pas les doses de poudre qu'il introduisait et agglomérait, à chaque instant dans ses fosses nasales, à la longue saturées de nicotine. Le poison ne tardait pas à pénétrer de là dans tout l'organisme, à le perturber jusqu'au délire — et quelquefois (disons-le tout bas), jusqu'à la folie furieuse.

Dès les premiers jours, ayant remarqué sa manie, je résolus de le guérir! de le sauver!

Et, pour diversifier et amuser en lui le démon de l'habitude, j'avais essayé de substituer dans sa boîte d'or,

du nitrate d'argent, du sucre de réglisse, du chloroborate
de « mercure », du charbon de terre, du phosphure de
calcium, de la raclure de vieux souliers, de la soude
caustique, de la poudre à canon et mille autres drogues
inoffensives. Bref, j'eus, vraiment, pour lui les sollicitu-
des d'une mère. — Inutiles efforts ; il prisa tout d'un nez
indifférent, aux cartilages blindés. — Néanmoins, je ne
me tins pas pour battu. Décidé à le guérir par mon
système d'homéopathie, — le seul sérieux pour qui n'a
pas le bon sens oblitéré, — je m'enfermai dans le laboratoire de chimie.

Ce que l'ingéniosité humaine peut inventer en fait de
fougueux sternutatoires et de révulsifs terribles, j'ai su le
glisser en sa tabatière. Il fallait qu'il succombât ou qu'il
guérît. J'étais décidé à recourir fût-ce aux explosifs pour
en finir avec son mal. Il n'est pas, je me plais à l'espérer,
d'ingrédients dus à toutes les branches du savoir, dont je
ne lui aie fort habilement bourré les cavernes. J'ai fait
chauffer, au péril de ma vie, les creusets où se pulvéri-
saient, après concoction, les sucs des plantes les plus
délétères, si utiles en médecine quand leur dosage est
pondéré. Il me semblait voir dans tout cela le doigt de
Dieu. J'avais négligé momentanément mes chers infusoires ; l'amitié seule était mon guide, — et souvent, de
nuit, quand réveillé en sursaut par quelque cauchemar,
j'apercevais mes carreaux empourprés par les reflets du
laboratoire où bouillonnaient, nuit et jour, les alambics,
les matras à tubulures et les cornues, je me délectais, avec
attendrissement, à la pensée que tout ce qui se faisait là,
sous la garde des bons génies de la vraie Science, serait
situé le lendemain dans l'appareil olfactif de mon déplo-
rable ami.

Au moment où mes soins et mon traitement allaient
être couronnés d'une récompense inespérée — (car je
crois me rappeler qu'il commençait à regarder, par moments, sa tabatière avec une indéfinissable expression), — un certain samedi soir, — environ dix jours
après mon arrivée dans la maison, — après un dîner des
plus enjoués, — il pâlit au dessert, tout à coup ! ses yeux
se fermèrent, il remua les lèvres, — il était mort.

J'eus la présence d'esprit, au milieu du saisissement de
Claire et des domestiques, de pencher mon oreille vers sa
bouche pour entendre ce qu'il avait l'air de dire à voix
basse, et je distinguai fort nettement la phrase bizarre que
j'ai citée plus haut.

— «En effet, murmurait le pauvre Lenoir, — comment pardonner à l'adultère?... Je sens — *à présent,*
— à présent que je vais sans doute incorporer le sentiment que j'ai toujours eu de moi-même, — oui, je sens
que, du fond des ténèbres-extérieures, j'assouvirais ma
vengeance — si...

Ce furent ses dernières paroles. On se fait une idée
dans quel deuil, dans quelle consternation nous fûmes
abîmés! Où trouver des expressions? J'y renonce. — Et
d'ailleurs, siérait-il d'introduire le public dans la douleur
d'un particulier?

CHAPITRE XVI

CE QUI S'APPELLE UNE CHAUDE ALARME

Le cri du réprouvé ne traduit que cette pensée :
« Si j'avais su ! — Et je le savais ».
COMMENTAIRES SUR LA THÉOLOGIE.

Ho ! ho ! moi aussi je sais être « poète », quand les circonstances l'exigent, lorsqu'en un mot cela cadre avec la solennité d'un événement. Le lyrisme, quand il a sa raison d'être, n'est point chose inutile : que n'absoudrait-il pas ? Je pourrais en vivre, au besoin, comme presque tout le monde le fait, aujourd'hui, si je daignais m'abaisser jusqu'à confier mes idées à l'imprimerie.

Oui, je saurais passer, moi aussi, pour « poète », — si j'étais dans l'âge où cette plume au chapeau procure des bonnes fortunes. Vraiment, je sais bon nombre de plumitifs qui, — si ce métier ne rapportait ni argent ni femmes, — cesseraient, sur-le-champ, d'exploiter, par leurs singeries, l'imbécillité des particuliers et redeviendraient tout juste aussi Gros-Jean que moi, — ce qui, d'ailleurs, serait... ce qu'ils auraient de mieux à faire, le cas échéant.

Or, l'incident Lenoir était, on en conviendra, de nature à m'inspirer sinon des prosopopées, du moins de très « poétiques » solennités d'idées et de phrases.

La chambre du défunt, située au troisième étage, était haute. Sur le visage du mort, étendu, couleur de cire et glacé, quelques gouttes d'eau bénite, où tombait la lueur des cierges, reluisaient, diamants funèbres.

Mme Lenoir était à genoux, contre le lit, la tête sur le drap, les mains jointes au-dessus de son front ; moi j'étais

agenouillé aussi, mais plus loin; dans le coin obscur au
fond de la chambre, derrière une commode, assis sur mes
talons, les mains jointes, la tête baissée, regardant toujours fixement un point rouge dans le tapis. — Nous
étions seuls. Le prêtre et le médecin s'étaient retirés
depuis une heure, devisant à voix basse. La porte s'était
refermée.

Un grand crucifix d'ivoire, entre les rideaux, semblait
pacifier les ténèbres.

J'accusais, avec rage, l'impitoyable nature qui me pri-
vait de mon ami et j'aurais presque douté de la Science, si
je n'eusse fait la part de mon désespoir.

— Tout à coup, je ne sais ce qui se passa; mais, pour
dire l'exacte vérité, j'éprouvai une chose dont l'analyse
ou même l'énonciation distincte — me semblent situées
au-delà des termes dont peut disposer une syntaxe humaine. Une commotion de froid dans les yeux, dans le
cœur et sur les tempes, simplement.

A ce moment-là, comme j'allais me demander ce que
j'avais, la jeune veuve se releva brusquement, les cheveux hérissés, la flamme des cierges dans les verres de
ses lunettes, les bras dressés! Terrifiante, elle poussa,
dans le profond silence, un cri tellement imprégné et
saturé d'une horreur folle, que je me sentis envahir, des
pieds à la tête, par l'effroi, — l'effroi sans autre qualifi-
cation.

La Peur m'inonda, pour ainsi dire, à l'improviste. Je
fus glacé. Elle paralysa, pendant un moment appréciable,
le jeu de mes facultés. — Je me bornai à ouvrir et à
fermer les yeux alternativement. — Enfin, je pris sur moi
de la regarder à la dérobée.

Son attitude n'était point faite pour rassurer un pauvre
vieillard! Elle me désola! Le résultat de cette contemplation fut le tremblement, l'évanouissement instantané de
mon sens moral, en une seconde! Et je me mis, sans
bouger autrement, toujours à genoux dans le coin obscur,
à pousser de grands, lents et prolongés hurlements,
chromatiques, et dont le volume augmentait en propor-
tion qu'ils descendaient vers les notes graves de mon
registre de basse profonde. Au troisième hurlement, je

sentis ma propre frayeur friser le délire, et je déchargeai
mon âme par un petit rire à peine distinct, qui eut pour
effet immédiat de combler la terreur de la jeune femme à
ce point qu'elle courut vers la porte, prise d'une panique,
et enfila les escaliers où, sans tarder, je la suivis quatre à
quatre, — sans perdre, comme on dit, le temps en oiseux
commentaires.

Nous mîmes deux secondes à franchir paliers et ram-
pes, jusqu'à la porte du jardin. Dans notre précipitation
simultanée à vouloir ouvrir cette exécrable porte, nous
neutralisions mutuellement nos efforts; je poussai alors,
dans ma détresse, un grognement étouffé, dont le bruit
me fit tomber en syncope entre les bras de la pauvre
femme; ses genoux s'entrechoquèrent et nous roulâmes à
demi-morts sur le parquet.

Puis ce furent des cris et des flambeaux, des pas
lourds et hâtés. Les domestiques, effarés, accouraient;
Mme Lenoir répondit à voix basse à une question du
vieux valet. On nous porta chacun dans notre chambre.
— Une heure après, sentant que je ressaisissais la possession de moi-même, je sautai à bas, je fourrai tout ce que
j'avais, pêle-mêle, dans ma valise, et je me mis à fuir par
le jardin, escorté silencieusement et jusqu'à la porte, par
le basset. Je courus, d'une haleine, au bureau des diligences, je m'installai dans la première rotonde [93] venue, et
j'éprouvai un grand plaisir, — au premier ébranlement
des roues et au bruit des postillons qui soulevaient l'atte-
lage à coup de fouet. — Je sentais que je m'éloignais de
la maison Lenoir!... en laquelle je me promettais, *in
petto,* de ne jamais remettre les pieds, même pour sauver
mes derniers jours.

Ah! ah! je repris le cours de mes grandes découvertes.
— Je vis du pays! — Je puis même dire que j'ai fait faire
à la Science des pas de géant!

— Mais l'important est d'achever cette histoire. Ce
que j'ai à dire est une chose si terrible, que j'ai été prolixe
à dessein. — Je n'osais pas! — Je reculais le moment
fatal!... Mais — j'ai bu, ce soir, des vins capiteux qui
m'ont excité la cervelle... et je parlerai.

CHAPITRE XVII

L'OTTYSOR

> Il y a plus de choses au Ciel et sur la Terre, Horatio, que n'en peut rêver toute votre philosophie.
>
> SHAKESPEARE, *Hamlet*.

Une année après, je me trouvai dans le midi de la France. J'avais exploré la chaîne des Alpes; je m'arrêtai à Digne. — Selon mes habitudes d'isolement, je fus me loger dans une hôtellerie de faubourg. Mes journées, je les passais dans les campagnes, muni de mes instruments.

Un soir que, harassé par mes recherches, je rentrai fort tard, j'enjoignis au garçon de m'apporter dans ma chambre une tranche de poisson, quelques poires et deux litres de café pour ma nuit.

Le garçon était d'un extérieur solennel.

— Monsieur ignore que c'est fête publique?... A l'exception d'une vieille dame malade et couchée, il n'y a pas un chat dans la maison. Personne aux cuisines! Tout le monde est parti pour aller voir le feu d'artifice. — Monsieur trouvera des restaurants s'il veut suivre cette rue qui mène à la grande cité; — il est venu aussi cette lettre pour monsieur.

Je pris tout doucement la volumineuse lettre, et je lus, à la clarté de la chandelle qu'il élevait près de mon front.

La lettre venait d'Angleterre. Un de mes correspondants de Londres, homme très original comme le sont un peu tous les Anglais, m'annonçait le gain d'un procès capital pour sa maison — ce dont il espérait — disait-il assez plaisamment — que je me réjouirais avec lui. Le

post-scriptum ajoutait que — «à propos», un jeune Anglais de mes amis, officier de marine, venait de périr
d'une mort des plus tragiques, au cours d'une mission
dans l'extrême Océanie. Le steamer d'exploration qu'il
montait se trouvant engagé dans le 14e de latitude sud, et
le 134e de longitude, à hauteur des Marquises, en avant
du groupe sinistre des Pomotou, l'on avait mis à la mer
une embarcation, commandée par cet officier, pour reconnaître les atterrages — de l'un de ces vastes îlots,
d'aspect désert, sortes de volcaniques blocs de lave qui
jaillissent noirs, à de prodigieuses altitudes, — et balancent, dans l'orageux ciel du grand océan équinoxial,
d'énormes forêts d'un vert intense.

«En ces parages, les plus reculés, pour ainsi dire, de
notre globe, nul commerce possible n'ayant paru aux
nations civilisées mériter que l'on risquât des bâtiments
au milieu des innombrables récifs qui en hérissent les
abords, ces îlots, perdus en des étendues de flots démesurées, demeurent tout à fait inconnus : cet archipel en
compte plus de sept cents, dont quelques-uns seulement
sont madréporiques.

«Les effroyables tempêtes, les enlisements d'un certain sable basaltique pareil à de la poussière d'anthracite,
les tombées, parfois soudaines, de brumes stagnantes,
rendent ces régions funestes aux navigateurs, qui ont
surnommé ces eaux la Mer-dangereuse : et tant de bâtiments de tous pavillons s'y sont perdus que l'on a silencieusement renoncé à s'y égarer. Seule, une secte de
pirates polynésiens, les Ottysors, guetteurs de naufrages,
s'y réfugient par les mauvaises nuits et, les uns tapis dans
les cavernes, les autres errants à travers les roches, attendent des proies.

«Or, au moment de l'événement, le petit détachement
d'éclaireurs, sous les ombres du soir, longeait, sur la
falaise de l'îlot, les périlleux sables et regagnait le bord.
Le jeune officier, qui s'était peut-être avancé d'une cinquantaine de pas en avant de l'escorte, fut si brusquement
assailli, au détour d'un roc, par un grand insulaire noir,
— (sans doute l'un de ces Ottysors-pirates) — que celui-ci lui avait déjà tranché la tête, et s'inondant de sang,

la balançait à bout de bras avec des gestes affreux, avant qu'un mouvement quelconque de défense, avant qu'un coup de feu, qu'un cri même eussent eu le temps de s'effectuer. Comme l'escouade se précipitait pour le massacrer, on le vit s'aventurer, à pas lents, sur les sables mortels, où lui fut envoyé un feu de salve continu, qui éclaira le crépuscule, pendant que le *fantastique* indigène, se vouant lui-même à la mort, s'enlisait peu à peu, devant l'équipage interdit, sous les dunes de ces plages fatales et, disparaissait, dans l'étouffement, en agitant par les cheveux, en son poing levé tout droit, la tête sanglante qu'il avait l'air de montrer victorieusement aux étoiles. Le malheureux ami n'était autre qu'un lieutenant de vaisseau nommé sir Henry Clifton, avec lequel, disait mon correspondant, je devais avoir fait route de Jersey à Saint-Malo. »

Je m'abstins, sur le moment, de toute réflexion relative à sir Henry Clifton au reçu de cette fâcheuse nouvelle. J'avais entendu parler de ces très rares Ottysors couleur de jais, ou *guetteurs de naufrages*. Les marins de Norvège et de Hollande nomment aussi ces nègres les Démons des enlisements. Ces féroces cannibales sont enveloppés d'un mystère non pénétré encore. La nuit, parfois, on entend, au loin, sur les écueils, leur grand cri, sombre hurlement de guerre. Ce sont de véritables *ombres*. Aucun d'eux n'a été fait prisonnier, et, malgré les décharges, on ne les voit ni tomber ni fuir. « On ne sait ce qu'ils font de leurs morts, *s'ils meurent* », dit assez étrangement le géographe danois Bjorn Zachnussëm [94].

Je résolus de bannir de ma mémoire cette aventure qui me parut de nature à pouvoir troubler mon sommeil.

— Ne m'avez-vous point parlé d'une vieille dame malade ? dis-je au garçon en mettant la lettre dans ma poche ; a-t-elle soupé ?

Le garçon, qui cherchait à épier sur mes traits l'effet de la lettre, fut quelque temps sans répondre.

— Non, dit-il enfin, son souper est là.

— Bien, répliquai-je ; puisqu'elle est malade je mangerai son souper ; cela lui fera du bien.

Et je me mis à rire de ce bon mot dans le sonore escalier.

Je n'étais certes pas arrivé aux deux tiers de la durée habituelle et régulière de mon rire, lorsque mon nom, prononcé d'une voix agonisante, me parvint à travers la porte la plus voisine sur le palier où je me trouvais.

Je me sentis mal à l'aise et je m'arrêtai court.

— Qu'est-ce que cela ? dis-je au valet.

— Ça ? dit-il, c'est la vieille dame... Il faut croire qu'elle vous connaît.

— Quel est le nom de cette dame ?

— Mme Lenoir.

— Mme Lenoir !... dis-je très bas après un silence. — Quoi ! la charmante et incomparable Mme Lenoir, la veuve de mon pauvre ami ?... — Toutefois, comment pourrait-elle se trouver ici ? me demandai-je à moi-même.

Le garçon mit sa langue contre ses dents et fit entendre un susurrement d'indifférence.

— Je ne sais, dit-il élégamment.

Le plus gracieux de mes sourires accueillit cette tournure de phrase, et il fut accompagné, vraiment malgré moi, d'un fort coup de pied à la chute des reins de ce jeune Mercure. Le bougeoir tomba, — et, comme le garçon, saisi d'une épouvante que je cherche encore en vain à m'expliquer, entreprenait de renouveler à lui seul, dans les escaliers, la course d'Hippomène et d'Atalante [95], je relevai le bougeoir et je frappai discrètement trois coups, avec l'os de mon saturne [96], contre la porte inquiétante ; je tenais de l'autre main le bougeoir et mon sac de promenade.

— Entrez donc ! me dit une voix vaguement connue.

Je levai le loquet et une forte odeur de peinture fut la première sensation dont je me sentis douloureusement affecté. Les murailles, récemment recrépies, étaient d'un blanc argenté, absolument uni et huileux. Elles éveillèrent dans mon esprit, instantanément, l'idée de ces plaques de métal dont se servent dans les ateliers les dignes émules de Daguerre pour augmenter les reflets du jour. — Dans le lit, couvert de rideaux blancs, une femme, au visage jaune et tiré comme parchemin, se tenait, toute habillée de deuil, et accoudée. Une énorme paire de lunettes bleuâtres lui couvrait les yeux. Sur la cheminée brillaient deux ou trois flacons aux étiquettes de pharmacien. Une chandelle fumait sur la table de nuit.

— J'ai reconnu votre voix, docteur, malgré le temps et le chagrin ! me dit sans bouger la dame couchée. Asseyez-vous près de mon lit : j'ai à vous faire part d'une chose. J'ai failli perdre votre trace depuis Genève, mais ce matin, dès mon arrivée... Et puis j'étais sûre de vous trouver avant de mourir.

Je m'approchai, dans ma compassion, de ce spectre. J'hésitai vraiment à reconnaître la belle Claire Lenoir, en considérant les ravages causés sur ce visage, évidemment par quelque angoisse mystérieuse ; elle était comme brusquement vieillie.

Je lui fis sentir toutes ces choses avec ménagement. Elle commença à me regarder derrière ses lunettes, dans un profond silence.

— Oui, murmura Claire Lenoir, d'une voix égale, vous êtes un horrible vieillard !

Et elle demeura comme pensive.

Pour la première fois de ma vie, je compris certains jeux de scène des théâtres de genre : je jetai naïvement les yeux autour de moi, ne sachant à qui elle parlait. A ne rien celer, nous étions seuls.

Je lui pris le bras et lui tâtai le pouls ; il était à la fois capricant et filiforme[97] ; j'eus pitié de sa folie et m'assis à son chevet.

CHAPITRE XVIII

L'ANNIVERSAIRE

....
Dont se réjouissaient l'essaim des mauvais
[anges,
Nageant dans les plis des rideaux.
CHARLES BAUDELAIRE [98].

— Dites-moi, dites-moi ce que vous a confié sir Henry Clifton!... demanda Claire Lenoir, d'une voix horriblement basse.

— Ah! ah?..., répondis-je : — Rien.

— Vous savez ce qui s'est passé pendant un voyage de M. Lenoir, mon mari : vous le savez!

Je mis les deux mains en croix sur ma poitrine :

— Je n'en sais pas un seul mot! dis-je.

— Eh bien, soit! continua Mme Lenoir, — je ne vous raconterai pas les circonstances inouïes de ma misérable chute; enfin je fus aimée! Je suis coupable!

— Infâme créature! pensai-je.

Puis, tout haut :

— Eh bien, dis-je, quel mal y a-t-il à cela?

— Je sais qu'une faute ne peut se racheter par soi-même... mais, depuis, je suis restée fidèle à M. Lenoir, jusqu'à sa mort — fidèle, même en pensée.

— Je ne suis pas un prêtre, madame.

— Le prêtre sort d'ici et je vous dis que je vais mourir, répondit Claire d'un air préoccupé.

— Oh! ma bonne madame Lenoir! se peut-il? — Vous exagérez! Le teint n'est pas du dernier mauvais, la voix n'est point sifflante, et, à moins d'une attaque à laquelle nous sommes tous exposés, vous ne me paraissez que relativement bien portante.

— Qu'est-ce alors que ceci, docteur? fit-elle en relevant ses lunettes.

Je me penchai.

— Ceci?... dis-je après un rapide examen, — ah! diable!... il y a, en effet, quelques symptômes de...

— De?... fit-elle de sa voix qui me faisait tressaillir les nerfs.

— D'une maladie qu'il serait absurde de ne pas traiter à temps! ajoutai-je. Ce ne sera rien.

Et je pensais, à part moi: — La chose est certaine: il est trop tard.

— Achevez donc! s'écria-t-elle; vous figurez-vous que j'aie peur?

Elle tremblait; mais plutôt, je dois le dire, à cause de certain dépérissement nerveux que par frayeur de la mort imminente dont elle avait évidemment conscience.

— Soit, répondis-je; écoutez bien: l'apoplexie est une petite déchirure au cerveau: je vois maintenant les veines des paupières, des tempes, de la figure même, congestionnées d'une manière très extraordinaire: on dirait qu'elles vont éclater.

Et je me levai pour considérer l'étiquette des flacons.

— Je vais chercher ce qu'il faut, lui dis-je.

En moi-même je me promettais de ne pas revenir, puisque je sentais que mon ministère serait inefficace.

— Inutile! restez! La mort est une chose à laquelle je suis préparée depuis longtemps. Je connais mon état: dans quelques minutes, à dix heures, tout sera fini. Restez donc en place! Et croyez que je suis en possession des dernières lueurs de ma raison. Je vous l'ai dit: j'ai quelque chose de singulier à vous raconter.

Que pouvait-elle avoir de singulier à me raconter? Rien, évidemment. Et puis je ne voulais pas l'entendre.

— Ma foi! ma chère madame Lenoir, m'écriai-je à pleine voix, je vous avoue que je suis dans l'admiration! Le fait est que vous êtes au plus mal! Et que, d'un moment à l'autre, vous pouvez être forcée par la Nature de me fausser compagnie! Mais j'aime les braves, moi, j'aime les braves !... Et au diable les poltrons ! — Parlez donc, — et vite ! — car votre voix faiblit.

— Oh ! taisez-vous ! taisez-vous ! dit-elle, brisée.

Je me suis sentis choqué et mortifié : je pris un cure-dents par contenance et me tus.

— Penchez-vous que je vous parle, dit-elle.

J'obéis avec répugnance.

— *Vivant*, continua-t-elle, il n'a rien su ! — rien ! jamais rien ! Mais comprenez bien ceci : je crois qu'il *sait*, maintenant. C'est ce soir l'anniversaire ! — Dix heures vont sonner... oui, je crois qu'il va venir me prendre — par les *yeux !* vociféra-t-elle subitement. Comment lui résister ? Ma chair s'est liée à la sienne dans une parole prononcée aux pieds du Dieu consécrateur !

Ah ! chose réellement bizarre ! Mystères de l'organisation ! Malgré le lieu, l'heure et le souvenir, je n'avais pas sourcillé. — « C'est le délire, pensai-je, rien de plus. » — Jamais je ne m'étais mieux porté intérieurement. Sous ma figure attristée comme la situation l'exigeait, je me sentais guilleret, dispos, allègre ! Je fis fondre, à la dérobée, une praline dans ma joue droite, tout heureux de ma quiétude d'esprit.

Qu'avais-je à craindre, en effet ! — Son mari avait cela de bon, pour le moment, qu'il était mort.

— N'ayez pas peur, je suis là ! lui dis-je, pour la calmer. Je n'ai pas tous les jours des paniques aussi irréfléchies que celle qui me mit en fuite le premier soir de votre veuvage ! Je conviens que ce mouvement nerveux fut, chez moi, déraisonnable !

— Oh ! malheureux ! dites que c'est le seul et inconscient éclair de Raison, de véritable Raison, que vous ayez eu depuis le jour de votre naissance ! dit Claire, toujours accoudée ; dites et surtout pensez cela !

Elle eut une espèce de gloussement diabolique ; le sang lui obstruait la gorge.

— Oh ! le morne souffle des réprouvés ! dit-elle. Vous rappelez-vous la chambre ? Vous aviez les yeux baissés. Vous étiez agenouillé ! Vous ne vîtes rien. Moi, j'étais prosternée, dans mon chagrin, contre le lit. Je ne pouvais rien voir. Mais je vais vous dire, maintenant, ce qui se passa au-dessus de nos têtes! — M. Lenoir rouvrit les yeux! Il rejeta subitement le drap, se dressa, en silence, les poings crispés et levés sur moi! Il avait la figure de la damnation! Il grinça des dents, — sans bruit, pour nous! Ah! Funeste, avec deux lueurs de l'enfer sous les sourcils, il me maudit comme partie de lui-même, au nom des nuits sans Dieu où plusieurs entreront. Et nous ne l'avons pas vu, *parce qu'il fallait* que nous eussions la tête baissée en ce moment-là!

Puis il se réétendit, ramena, de ses deux mains, le drap sur sa poitrine, referma les yeux et son visage reprit le masque insensible que nous prendrons tous, — que je prendrai, moi, tout à l'heure. Ce fut alors que, ne sachant pas ce qui s'était passé, je me levai et l'embrassai tendrement, les larmes aux yeux, une dernière fois, sur son front mort.

Elle se tut: je la regardai fixement:

— Comment, — comment avez-vous su que cela c'était passé? demandai-je.

— J'ai vu la scène se produire la nuit suivante, en rêve, dans une grande glace où je regardais.

— Les démons peuvent habiter, en effet, le reflet des glaces! lui dis-je, par compassion: mais, dans la vie réelle, — ajoutai-je en la considérant avec mes yeux ternes et en me grattant le bout du nez, — dans la vie réelle, on n'admet pas, comme cela, les Démons. — Comment avez-vous pu me reconnaître, moi, dans le reflet de ce miroir? Mes traits devaient y être douteux: ce fut plutôt, je pense, à la beauté morale, n'est-ce pas, respirée, pour ainsi dire, par l'ensemble de ces traits, que vous avez cru me reconnaître?... — En rêve? dis-je, encore, presque à moi-même: — mais, madame, pourquoi donc avez-vous alors poussé ce cri, dans la chambre, puisque vous ne saviez rien, puisque vous n'aviez rien vu!

— Une fois levée, me répondit Claire Lenoir, aussitôt que je l'eus embrassé, et mon oreille encore sur sa bouche, j'entendis un rire très sourd — un glapissement qui sortait de ces lèvres furieuses!... Alors, j'ai crié, parce que je fus vaincue par une terreur sans limites, un effroi terrible ! Et mon cri était si bien du fond de mes entrailles, que vous en avez compris, électriquement, la signification.

Ceci, je dois l'avouer, me fit pâlir à mon tour. Le fait est que l'auberge déserte, les chandelles qui menaçaient de s'éteindre bientôt, cette idée d'anniversaire, et, par-dessus tout, cette moribonde en deuil et en lunettes, commençaient à oblitérer la rectitude de mon jugement. Le mal dont j'ai parlé m'envahissait aussi, peu à peu. Je le sentais gronder en moi, comme de grandes eaux lointaines ! — Allons ! allons ! disons la chose ! Mes dents se mirent à claquer follement ! la sueur coula sur mes tempes ; je devins verdâtre, mes yeux s'injectèrent et roulèrent dans leurs orbites ; une oppression affreuse pesa lourdement sur ma poitrine ; je jetai bas le masque :

— Vision et folie ! hurlai-je, hagard, en me dressant.

CHAPITRE XIX

TETERRIMA FACIES DÆMONUM [99]

> Comme le prêtre se détourna vers le cadavre
> en lui disant la parole de l'Office des morts :
> « *Responde mihi !* » l'on vit l'évêque défunt se
> dresser dans sa bière en criant d'une voix af-
> freuse :
> *Comparui ! — Judicatus sum ! — Justo judi-*
> *cio Dei, damnatus !*
> Et il se réétendit dans le cercueil.
> HISTOIRE DE SAINT BRUNO [100].

— Je l'ai revu, lui ! Toujours en rêve ! dit Claire Lenoir, sans s'adresser précisément à moi. Trois mois et
demi, environ, après sa mort. Seulement, une chose qui
tient probablement du hasard des rêves, ajouta Mme Lenoir de sa même voix rauque et sourde, c'est l'extérieur
sous lequel il m'est alors apparu. C'était bien lui. — Ah !
c'était *lui !*

Et le sourire malsain des fous vint errer sur ses lèvres
comme un feu follet sur un tombeau.

— Vous allez plaindre mon faible esprit à cause des
rêves, continua-t-elle ; mais il était absolument semblable
de corps, de stature et de couleur, *à ces êtres obscurs que*
l'on mentionne — vous savez, — dans les relations ma-
ritimes de l'Océanie.

Je songeai à la lettre ; je fis un soubresaut, n'en croyant
pas mes oreilles, je voulus en vain lier deux idées : un
éclair d'une nature qu'il n'est pas au pouvoir de la logique humaine d'expliquer, aveugla tout mon entendement,
je sentis un cri d'horreur s'étouffer hideusement dans ma
gorge.

— Oui, continua la moribonde avec une solennité d'outre-tombe; il était semblable à l'un des monstres familiers des plages désertes et des vagues maudites. Son corps, velu et farouche, se dressait, fumée plus foncée que l'ébène. Des plumes d'oiseaux de mer lui servaient de ceinture et de vêtements. — Autour de lui s'étendaient les espaces, peuplés par les Terreurs et l'infini des songes. Des serpents de feu tatouaient l'apparition : les cheveux, longs et gris, tombaient hérissés, autour des épaules. Oh! par quelle suite de pensées, d'impressions anciennes, pouvais-je en être venue à me le figurer, à le *songer* tel, si informe, si différent! Il était debout, seul, parmi les rochers perdus, regardant au loin, sur la mer, comme attendant quelqu'un; à son air impénétrable, je *sentais* que c'était le défunt plutôt que je ne le reconnaissais. Il aiguisait furtivement, derrière lui, un grossier coutelas de pierre... ses yeux nocturnes faisaient frissonner mon âme d'une angoisse de sang, d'enfer et d'agonie; je me réveillai en sursaut, dans un grand cri, trempée et glacée de sueur... Jamais je n'ai réussi à oublier ce songe.

Elle se tut.

Puis-je dire, y a-t-il des mots pour exprimer les effroyables pensées, — filles des possibilités funèbres, après tout, — qui me paralysaient des pieds à la tête, pendant ces phrases infernales? J'étais bouleversé. Les sentiments qui s'agitaient dans mon être étaient innommables.

Cependant, bien que le son de ma propre voix me fît profondément frémir, j'articulai, sans me rendre compte au juste de mes paroles :

— Personne! personne, heureusement, — entendez-vous? — ne saurait déterminer le point précis où commence la réalité objective des visions!

Et j'ajoutai, avec un rire forcé qui me faisait mal aux cheveux :

— Les hospices d'aliénés n'y ont pas pensé! Rappelez-vous la discussion que nous eûmes du vivant de cet ergoteur de Lenoir!

— Eh! bien, pensez-y! dit la malade avec un morne sourire, — et priez. Les prières, étant lancées par la

volonté au-delà de la Nature, échappent à la Destruction.
Pour moi qui n'ai pas rougi de prier, alors que mon
effrayant mari poussait le doute outrageant, — cancer de
nos tristes jours — jusqu'à feindre le respect pour ma foi
par amour pour mon malheureux corps, — pour moi qui
voulais me repentir d'avoir commis une chose défen-
due, — car il n'est pas de raison qui puisse l'absou-
dre, — j'espère et je suis sûre — qu'après un instant
d'agonie, Dieu ne m'exclura pas de tout pardon.

Et, saisissant ses bésicles à pleines mains, elle se les
arracha du front. Les verres se brisèrent entre ses mains
ensanglantées, et elle tordit leur monture dans une
convulsion.

— Je n'ai plus besoin de lunettes pour y voir, maintenant ! dit-elle.

Elle parlait d'une voix trémébonde, mais cependant
avec une sorte de sourire d'espérance vraiment infinie où
son courage semblait s'affermir pour quelque terrifiante
épreuve, imminente et suprême, après laquelle son âme
serait « sauvée ».

Dix heures sonnèrent.

Il y eut un moment de silence, pendant lequel
Mme Lenoir ayant rejeté des deux côtés la longue mante
noire, son vêtement, s'étendit lamentablement sur le dos,
la tête très relevée par l'oreiller, et les yeux fixes, tout
grands ouverts. Elle avait l'air de considérer, *d'appro-
fondir, peu à peu,* malgré elle, la blancheur aveuglante de
la muraille où tombait le reflet des chandelles.

En ce moment les premiers éclats du feu d'artifice
lointain parvinrent jusqu'à nous : la fête nationale battait
son plein. L'on entendait les vagues hurrahs des gens
sérieux de la ville satisfaits de voir de belles fusées
s'élever et pétarder, d'ailleurs agréablement, dans les
airs.

— Ah ! cria-t-elle en un sursaut, eh bien ! qu'est-ce
que je disais !… LE VOILA ! Regardez ! Là ! là ! le monstre
de mes mauvais songes ! Le voilà — tel qu'il se *rêvait,*
lui aussi, M. Lenoir ! Etait-il donc *un fils de Cham* [101]
pour s'être, ainsi, RÉALISÉ dans la Mort ? Pour qui aigui-
se-t-il si longtemps, — si froidement, — devant la mer

affreuse, — ce couteau ?... Ah ! vampire ! démon ! assas-
sin !... râlait la malheureuse femme, — va-t'en de cette
muraille ! Laisse mes pauvres yeux !

Ses mains se raidirent tout à coup en une crispation
atroce et ses yeux mystérieux s'agrandirent : ce qu'elle
voyait devenait, sans aucun doute, si épouvantable
qu'elle ne trouvait même plus en sa poitrine la force d'un
cri. Elle se débattit, puis retomba, rigide, toujours le
regard tendu sur la muraille, avec une espèce de mauvais
sanglot.

Elle avait, sans doute, rendu son âme : mais je n'en
étais pas sûr.

Je me précipitai sur mon sac pour en tirer une trousse à
lancettes ; je fouillais désespérément ; je n'avais que des
verres, des instruments, des collections d'infusoires, des
loupes ; je bondissais, à travers la chambre, sans avoir ma
raison ! Et je retournai vers le lit, en tenant machinalement à la main une forte loupe que j'avais trouvée.

Alors, je pris la chandelle, je l'approchai du visage de
la défunte, et je la considérai, à la loupe, avec un tremblement nerveux.

— Enfin ! — c'était fini !... pensai-je avec un soupir
de soulagement ; elle était bien morte.

Tout à coup, *je ne peux pas dire pourquoi,* ses yeux
stagnants attirèrent mon attention.

Une idée, des plus insolites, me passa, subitement,
dans l'esprit. Une curiosité entra dans mon cœur et en
balaya toute appréhension. Je me raidis, quelque peu
frissonnant ; je voulais examiner la taie qui recouvrait ces
ténébreuses prunelles et plonger sous ce crêpe ! Un Démon me saisit donc le bras, courba ma vieille tête, appuya
sur mon œil, et presque de force, la loupe puissante, et,
m'indiquant, dans l'âme, les yeux de la morte, me vociféra dans l'oreille en assourdissant mon angoisse :

— Regarde.

Dès lors, je devins plus tranquille ; je sentis que la
vieille Science me ressaisissait.

Je promenai ma loupe sur les prunelles.

Les yeux ne présentaient vraiment aucune particularité
bien appréciable, si ce n'est leur extraordinaire aspect

vitreux. J'allais renoncer à ma tentative, lorsque les pupilles me parurent contenir des points qui ressemblaient à
des piqûres d'ombres.

J'allai sur-le-champ donner un tour de clef à la serrure ;
puis je revins auprès du lit, et me croisai les bras, rêvant
aux moyens d'expérimentation.

J'avais un appareil d'induction [102] dans l'une de mes
vastes poches.

Si je faisais jouer le nerf ciliaire ?... pensai-je. — Mais
je rejetai bien vite cette idée inutile, — oiseuse, même.

Je tirai de mon sac un petit flacon : — Une goutte de
cet alcaloïde, pensai-je, distendrait la pupille ?... — Mais
je rejetai encore cette idée : le solutum en question ne
pouvait s'appliquer avec fruit sur un cadavre.

Tout à coup, j'aperçus mon ophtalmoscope [103] !

— Ha ! ah ! ah ! m'écriai-je, voilà l'affaire !

Grinçant un peu des dents, je pris, entre mes bras, le
cadavre, dont la longue chemise formait suaire, et l'ap-
pliquai debout contre le mur, au-dessous d'un gros clou.

J'allais l'étayer d'une corde passée sous les aisselles et
suspendue à ce clou par les bouts noués ensemble...

Mais une réflexion contraria mon projet.

Ce qui pouvait être demeuré en *ces* yeux allait m'apparaître en sens inverse, retourné de bas en haut, la cavité
située derrière l'iris formant chambre noire.

Il y avait un moyen d'obvier à cela : j'hésitai toutefois à
y recourir.

Mes confrères trouveront peut-être puéril certain scrupule que j'éprouvai à disposer, contre le mur, la tête en
bas les pieds en l'air, le cadavre de Mme Lenoir.

L'on me dira, je le sais, qu'au moment d'une expérience sérieuse, c'était là faire preuve d'une bien intempestive sentimentalité, puisque nul n'ignore que cette
formalité scientifique — ainsi que beaucoup d'autres,
plus familières, encore, — se pratiquent, chaque jour et à
toute heure, en Europe, sur une moyenne d'au moins
cinquante à soixante mille cadavres féminins — (appartenant à la classe nécessiteuse, il est vrai) — dans les
amphithéâtres, morgues, hospices, etc.

Je répondrai que c'était précisément parce que j'avais

toujours connu Mme Lenoir dans l'aisance que le fait, ici, m'apparaissait comme sacrilège.

Ah! si la chère dame n'eût jamais été, à mon su, qu'une besogneuse, une pauvresse, — mon Dieu! même laborieuse, — il va sans dire, que l'idée ne me fût même pas venue d'hésiter, — ou que, si ce saugrenu scrupule m'eût traversé un instant l'esprit, je l'eussse étouffé bien vite et en rougissant, afin de ne pas mériter d'être la risée de tous mes confrères.

Mais, encore une fois, j'avais toujours connu en Mme Claire Lenoir une rentière honorable, et, je l'avoue, ceci m'imposait quelque respect, même pour sa dépouille mortelle. Je ressaisis donc le cadavre à bras-le-corps et me mis à errer par la chambre, ne sachant trop à quoi me résoudre, lorsque me vint une idée conciliatrice — et si simple que je m'étonnai, vraiment, qu'elle ne me fût pas plus tôt sautée à l'esprit.

Voici: je replaçai, non sans précautions, le corps de Mme Lenoir tout bonnement sur son lit de mort; mais je l'y plaçai *en travers,* — de telle sorte que le cou et la tête, dépassant, à la renverse, le bord du lit, fussent comme suspendus au-dessus du plancher.

Au pied du lit traînait, maintenant, la grande chevelure châtain, dont le tiers, déjà, s'était argenté. La face donc s'offrait à rebours, et les yeux, demeurés grands ouverts, à hauteur de mes genoux, me semblaient toujours, malgré moi, d'une assez inquiétante solennité. Nul doute, à présent, que — s'il y avait *quelque chose* en leurs prunelles, — cela m'apparût dans le sens normal.

Je saisis, ensuite, l'un des chandeliers dont les dernières flammes palpitaient, et je le plaçai entre nous deux.

J'ajustai une lentille énorme dans le porte-verre en face du réflecteur et je m'apprêtai à promener le pinceau de lumière dans la profondeur même des yeux de Mme Lenoir.

Mais, au premier regard que j'aventurai en ces yeux par le trou de l'ophtalmoscope, je reculai, ne sachant pas, — ne voulant pas savoir — ce que j'avais entrevu!

Je restai, pendant un instant, immobile; quant aux idées qui apparurent, alors, dans mon cerveau, je ne crois pas que l'enfer lui-même en ait reflété d'une plus hérissante horreur.

Et, me faisant tressaillir, voici qu'empourprant les vitres, le bouquet du feu d'artifice de la Fête nationale éclata, dans l'éloignement, sur la ville exultante, aux acclamations d'une multitude bisexuelle.

Cependant le lumignon allait mourir, j'allais être dans l'obscurité.

— Non! m'écriai-je en fléchissant le genou, — il faut que je voie! Il faut que je voie!

Et je braquai mon œil sur l'ouverture lumineuse.

Il me semblait que, seul entre les vivants, j'allais, le premier, regarder dans l'Infini *par le trou de la serrure.*

CHAPITRE XX

LE ROI DES ÉPOUVANTEMENTS [104]

> L'abîme a jeté son cri : la profondeur a levé
> ses deux mains.
>
> HABACUC, III, 10.

Alors, — oh! l'effroi de ma vie! oh! vision qui a changé pour moi le monde en sépulcre, qui a installé la Folie dans mon âme! — En examinant les yeux de la morte, je vis, distinctement, d'abord se découper, comme un cadre, le liséré de papier violet qui bordait le haut de la muraille. Et, dans ce cadre, réverbéré de la sorte, j'aperçus un tableau que toute langue, morte ou vivante (je n'hésite pas un seul instant à le dire), est, sous le soleil et la lune, hors d'état d'exprimer.

Oh! comment décrire cela! Quelle imagination comblera l'inanité dérisoire des mots que je vais tracer!

Le paroxysme de l'ardente inquiétude qui m'agitait faisait trembler l'ophtalmoscope entre mes doigts, — et le jet de lumière dansait dans les yeux du cadavre, dans les grands yeux renversés, vitreux, fixes, exorbitants, déployés!

Et voici à peu près ce que je voyais :

— Oui!... des cieux! — des flots lointains, un grand rocher, la nuit tombante et les étoiles! — Et, debout, sur la roche, plus grand que les vivants, un homme, pareil aux insulaires des archipels de la Mer-dangereuse, se dressait! Était-ce un homme, ce fantôme? Il élevait d'une main, vers l'abîme, une tête sanglante, par les cheveux! — Avec un hurlement que je n'entendais pas, mais dont je devinais l'horreur à l'ignivome [105] distension de sa

bouche grand'ouverte, il semblait la vouer aux souffles
de l'ombre et de l'espace ! De son autre main pendante, il
tenait un coutelas de pierre, dégouttant et rouge. Autour
de lui, l'horizon me paraissait sans bornes, — la solitude,
à jamais maudite ! Et, sous l'expression de furie surnatu-
relle, sous la contraction de vengeance, de solennelle
colère et de haine, je reconnus, sur-le-champ, sur la face
de l'Ottysor-vampire, *la ressemblance inexprimable du
pauvre M. Lenoir avant sa mort,* et, dans la tête tranchée,
les traits, affeusement assombris, de ce jeune homme
d'autrefois, de sir Henry Clifton, le lieutenant perdu.

Chancelant, les bras étendus, tremblotant comme un
enfant, je reculai.

Ma raison s'enfuyait ; de hideuses, de confuses
conjectures affolaient mon hébétement. Je n'étais plus
qu'un vivant chaos d'angoisses, une loque humaine, un
cerveau desséché comme de la craie, pulvérisé sous
l'immense menace ! Et la Science, la souriante vieille aux
yeux clairs, à la logique un peu trop *désintéressée,* à la
fraternelle embrassade, me ricanait à l'oreille qu'elle
n'était, elle aussi, qu'un leurre de l'Inconnu qui nous
guette et nous attend.

Soudain, je me précipitai vers la muraille et, en y
collant, à plat, mes mains, — dont une épouvante sans
nom largement écartait les doigts, — j'en heurtai la maçonnerie.

— Mais, — mais, — grondai-je en regardant de travers la morte, — il a fallu... qu'au mépris des vieux
mensonges de l'Étendue et de la Durée... mensonges
dont tout nous démontre, aujourd'hui, l'évidence... il a
fallu que l'APPARITION fût *réellement* extérieure, à tel
impondérable degré quelconque, *en un fluide vivant peut-
être,* pour se réfracter de la sorte sur tes voyantes prunelles !

Je m'arrêtai, et je conclus, à voix basse, les cheveux
dressés, les poings crispés :

— Mais... alors, — où sommes-nous ?

Et, comme je me penchai sur la décédée, — avec une
frénétique rage d'énergumène et de sacrilège — pour
examiner encore le spectacle exécrable qui me fascinait,

l'ophtalmoscope s'échappa de mes mains à l'aspect des
traits de la morte ; lui ayant, précipitamment, soulevé la
tête, un grand frisson me glaça : je voyais deux larmes
jaillir et couler lentement, lourdement, sur les joues livides.

Et la Mort commença, voilant l'Impénétrable, à rouler
ses ombres profondes sur *ces « Yeux »*.

LE SECRET DE L'ÉCHAFAUD

A Monsieur Edmond de Goncourt [106].

Les exécutions récentes [107] me remettent en mémoire l'extraordinaire histoire que voici :

— Ce soir-là, 5 juin 1864, sur les sept heures, le docteur Edmond-Désiré Couty de La Pommerais [108], récemment transféré de la Conciergerie à la Roquette, était assis, revêtu de la camisole de force, dans la cellule des condamnés à mort.

Taciturne, il s'accoudait au dossier de sa chaise, les yeux fixes. Sur la table, une chandelle éclairait la pâleur de sa face froide. A deux pas, un gardien, debout, adossé au mur, l'observait, bras croisés.

Presque toujours les détenus sont contraints à un labeur quotidien sur le salaire duquel l'administration prélève d'abord en cas de décès le prix de leur linceul, qu'elle ne fournit pas. — Seuls, les condamnés à mort n'ont aucune tâche à remplir.

Le prisonnier était de ceux qui ne jouent pas aux cartes : on ne lisait, dans son regard, ni peur ni espoir.

Trente-quatre ans ; brun ; de moyenne taille, fort bien prise à la vérité ; les tempes, depuis peu, grisonnantes ; l'œil nerveux, à demi couvert ; un front de raisonneur ; la voix mate et brève, les mains saturniennes [109] ; la physionomie compassée des gens étroitement diserts ; les manières d'une distinction étudiée ; — tel il apparaissait.

(L'on se souvient qu'aux assises de la Seine, le plaidoyer, cependant très serré, cette fois, de Me Lachaud, n'ayant pas anéanti, dans la conscience des jurés, le triple effet produit par les débats, les conclusions du docteur Tardieu et le réquisitoire de M. Oscar de Vallée, M. de

La Pommerais, convaincu d'avoir administré, dans un but cupide et avec préméditation, des doses mortelles de digitaline à une dame de ses amies — Mme de Pauw — avait entendu prononcer contre lui, en application des articles 301 et 302 du Code pénal, la sentence capitale.)

Ce soir-là, 5 juin, il ignorait encore le rejet du pourvoi en cassation, ainsi que le refus de toute audience de grâce sollicitée par ses proches. A peine son défenseur, plus heureux, avait-il été distraitement écouté de l'Empereur. Le vénérable abbé Crozes qui, avant chaque exécution, s'épuisait en supplications aux Tuileries, était revenu sans réponse. — Commuer la peine de mort, en de telles circonstances, n'était-ce pas, implicitement, l'abolir? — L'affaire était d'exemple. — A l'estime du Parquet, le rejet du recours ne faisant plus question et devant être notifié d'un instant à l'autre, M. Hendreich venait d'être requis d'avoir à prendre livraison du condamné le 9 au matin, à cinq heures.

— Soudain un bruit de crosses de fusils sonna sur le dallage du couloir; la serrure grinça lourdement; la porte s'ouvrit; des baïonnettes brillèrent dans la pénombre; le directeur de la Roquette, M. Beauquesne, parut sur le seuil, accompagné d'un visiteur.

M. de La Pommerais, ayant relevé la tête, reconnut, d'un coup d'œil, en ce visiteur, l'illustre chirurgien Armand Velpeau [110].

Sur un signe de qui de droit, le gardien sortit. M. Beauquesne, après une muette présentation, s'étant retiré lui-même, les deux collègues se trouvèrent seuls, tout à coup, debout en face l'un de l'autre et les yeux sur les yeux.

La Pommerais, en silence, indiqua au docteur sa propre chaise, puis alla s'asseoir sur cette couchette dont les dormeurs, pour la plupart, sont bientôt réveillés de la vie en un sursaut. — Comme on y voyait mal, le grand clinicien se rapprocha du... malade, pour l'observer mieux et pouvoir causer à voix basse.

*
* *

Velpeau, cette année-là, entrait dans la soixantaine. A l'apogée de son renom, héritier du fauteuil de Larrey à l'Institut [111], premier professeur de clinique chirurgicale de Paris, et, par ses ouvrages, tous d'une rigueur de déduction si nette et si vive, l'une des lumières de la science pathologique actuelle, l'émérite praticien s'imposait déjà comme l'une des sommités du siècle.

Après un froid moment de silence :

— Monsieur, dit-il, entre médecins, on doit s'épargner d'inutiles condoléances. D'ailleurs, une affection de la prostate (dont, certes, je dois périr sous deux ans, deux ans et demi) me classe aussi, à quelques mois d'échéance de plus, dans la catégorie des condamnés à mort. — Venons donc au fait, sans préambules.

— Alors, selon vous, docteur, ma situation judiciaire est... désespérée ? interrompit La Pommerais.

— On le craint, répondit simplement Velpeau.

— Mon heure est-elle fixée ?

— Je l'ignore ; mais, comme rien n'est arrêté, encore, à votre égard, vous pouvez, à coup sûr, compter sur quelques jours.

La Pommerais passa, sur son front livide, la manche de sa camisole de force.

— Soit. Merci. Je serai prêt ; je l'étais déjà ; désormais, le plus tôt sera le mieux !

— Votre recours n'étant pas rejeté, quant à présent du moins, reprit Velpeau, la proposition que je vais vous faire n'est que conditionnelle. Si le salut vous arrive, tant mieux !... Sinon...

Le grand chirurgien s'arrêta.

— Sinon ?... demanda La Pommerais.

Velpeau, sans répondre, prit dans sa poche une petite trousse, l'ouvrit, en tira la lancette et, fendant la camisole au poignet gauche, appuya le médium sur le pouls du jeune condamné.

— Monsieur de la Pommerais, dit-il, votre pouls me révèle un sang-froid, une fermeté rares. La démarche que j'accomplis auprès de vous (et qui doit être tenue secrète) a pour objet une sorte d'offre qui, même adressée à un médecin de votre énergie, à un esprit trempé aux convic-

tions positives de notre Science et bien dégagé de toutes
frayeurs fantastiques de la Mort, pourrait sembler d'une
extravagance ou d'une dérision criminelles. Mais, nous
savons, je pense, qui nous sommes; vous la prendrez
donc en attentive considération, quelque troublante
qu'elle vous paraisse de prime abord.

— Mon attention vous est acquise, monsieur, répondit
La Pommerais.

— Vous êtes loin d'ignorer, reprit Velpeau, que l'une
des plus intéressantes questions de la physiologie moderne est de savoir si quelque lueur de mémoire, de
réflexion, de sensibilité *réelle* persiste dans le cerveau de
l'Homme après la section de la tête ?

A cette ouverture inattendue, le condamné tressaillit;
puis, se remettant :

— Lorsque vous êtes entré, docteur, répondit-il,
j'étais, tout justement, fort préoccupé de ce problème,
doublement intéressant pour moi, d'ailleurs.

— Vous êtes au courant des travaux écrits sur cette
question, depuis ceux de Sœmmering, de Süe, de Sédillot
et de Bichat [112], jusqu'à ceux des modernes ?

— Et j'ai même assisté, jadis, à l'un de vos cours de
dissection sur les restes d'un supplicié.

— Ah ?... Passons, alors. — Avez-vous des notions
exactes, au point de vue chirurgical, sur la guillotine ?

La Pommerais, ayant bien regardé Velpeau, répondit
froidement :

— Non, monsieur.

— J'ai, scrupuleusement, étudié l'appareil aujourd'hui même, continua, sans s'émouvoir, le docteur
Velpeau : — c'est, je l'atteste, un instrument parfait.

Le couteau-glaive agissant, à la fois, comme coin,
comme faulx et comme masse, intersecte, en biseau, le
cou du patient en un *tiers* de seconde. Le décapité, sous le
heurt de cette atteinte fulgurante, ne peut donc pas plus
ressentir de douleur qu'un soldat n'en éprouve, sur le
champ de bataille, de son bras emporté dans le vent d'un
boulet. La sensation, faute de temps, est nulle et obscure.

— Il y a peut-être l'*arrière-douleur ;* il reste l'à vif de
deux plaies ! — N'est-ce pas Julia Fontenelle [113] qui, en

donnant ses motifs, demande si cette vitesse même n'est pas de conséquences plus douloureuses que l'exécution au damas [114] ou à la hache?

— Il a suffit de Bérard [115] pour faire justice de cette rêverie! répondit Velpeau.

Pour moi, j'ai la ferme conviction, basée sur cent expériences et sur mes observations particulières, que l'ablation instantanée de la tête produit, au moment même, chez l'individu détronqué, l'évanouissement anesthésique le plus absolu.

La seule syncope, sur-le-champ provoquée par la perte des quatre ou cinq litres de sang qui font éruption hors des vaisseaux — (et, souvent, avec une force de projection circulaire d'un mètre de diamètre) — suffirait à rassurer les plus timorés à cet égard. Quant aux tressauts inconscients de la machine charnelle, trop soudainement arrêtée en son processus, ils ne constituent pas plus un indice de souffrance que… le pantèlement d'une jambe coupée, par exemple, dont les muscles et les nerfs se contractent, mais dont on ne souffre plus. Je dis que la fièvre nerveuse de l'incertitude, la solennité des apprêts fatals et le sur-saut du matinal réveil sont le plus clair de la prétendue souffrance, ici. L'amputation ne pouvant être qu'*imperceptible,* la *réelle* douleur n'est qu'*imaginaire.* Quoi! tel coup violent sur la tête non seulement n'est pas ressenti mais ne laisse aucune conscience de son choc, — telle simple lésion des vertèbres entraîne l'insensibilité ataxique — et l'enlèvement même de la tête, la scission de l'épine dorsale, l'interruption des rapports organiques entre le cœur et le cerveau, ne suffiraient pas à paralyser, au plus intime de l'être humain, toute sensation, même vague, de douleur? Impossible! Inadmissible! Et vous le savez comme moi.

— Je l'espère, du moins, plus que vous, monsieur! répondit La Pommerais. Aussi, n'est-ce pas, en réalité, quelque grosse et rapide souffrance *physique* (à peine conçue dans le désarroi sensoriel et bien vite étouffée par l'envahissante ascendance de la Mort), n'est-ce point cela, dis-je, que je redoute. C'est autre chose.

— Voulez-vous essayer de formuler? dit Velpeau.

— Écoutez, murmura La Pommerais après un silence, en définitive, les organes de la mémoire et de la volonté, — (s'ils sont circonscrits, chez l'Homme, dans les mêmes lobes où nous les avons constatés chez... le chien, par exemple), — ces organes, dis-je, *sont respectés par le passage du couteau!*

Nous avons relevé trop d'équivoques précédents, aussi inquiétants qu'incompréhensibles, pour que je me laisse aisément persuader de l'inconscience immédiate d'un décapité. D'après les légendes, combien de têtes, interpellées, ont tourné leur regard vers l'appelant? — Mémoire des nerfs? Mouvements réflexes? Vains mots!

Rappelez-vous la tête de ce matelot qui, à la clinique de Brest, *une heure et quart après décollation,* coupait en deux, d'un mouvement de mâchoires — *peut-être* volontaire — un crayon placé entre elles!... Pour ne choisir que cet exemple, entre mille, la question réelle serait donc de savoir, ici, si c'est, ou non, le *moi* de cet homme, qui, après la cessation de l'hématose, impressionna les muscles de sa tête *exsangue*.

— Le moi n'est que dans l'ensemble, dit Velpeau.

— La moelle épinière prolonge le cervelet, répondit M. de La Pommerais. Dès lors *où* serait l'ensemble sensitif? Qui pourra le révéler? — Avant huit jours, je l'aurai, certes, appris!... et oublié.

— Il tient, peut-être, à vous que l'Humanité soit fixée, à ce sujet, une fois pour toutes, répondit lentement Velpeau, les yeux sur ceux de son interlocuteur. — Et, parlons franc, c'est pour cela que je suis ici.

Je suis délégué auprès de vous par une commission de nos plus éminents collègues de la Faculté de Paris, et voici mon laisser-passer de l'Empereur. Il contient des pouvoirs suffisamment étendus pour frapper d'un sursis, au besoin, l'ordre même de votre exécution.

— Expliquez-vous... Je ne comprends plus, répondit La Pommerais, interdit.

— Monsieur de La Pommerais, au nom de la Science qui nous est toujours chère et qui ne compte plus, parmi nous, le nombre de ses martyrs magnanimes, je viens — (dans l'hypothèse, pour moi plus que douteuse, où quelque expérience, convenue entre nous, serait praticable) — réclamer de tout votre être la plus grande somme d'énergie et d'intrépidité que l'on puisse attendre de l'espèce humaine. Si votre recours en grâce est rejeté, vous vous trouvez, *étant médecin,* un sujet compétent lui-même dans la suprême opération qu'il doit subir. Votre concours serait donc inestimable dans une tentative de ... *communication,* ici. — Certes, quelque bonne volonté dont vous puissiez vous proposer de faire preuve, tout semble attester d'avance le résultat le plus négatif, — mais enfin, avec vous (toujours dans l'hypothèse où cette expérience ne serait pas absurde en principe), — elle offre une chance sur dix mille d'éclairer miraculeusement, pour ainsi dire, la Physiologie moderne. L'occasion doit être, dès lors, saisie et, dans le cas d'un signe d'intelligence victorieusement échangé après l'exécution, vous laisseriez un nom dont la gloire scientifique effacerait à jamais le souvenir de votre défaillance sociale.

— Ah ! murmura La Pommerais devenu blafard, mais avec un résolu sourire, — ah ! — je commence à comprendre !... — Au fait, les supplices ont déjà révélé le phénomène de la digestion, nous dit Michelot [116]. Et... de quelle nature serait votre expérience ?... Secousses galvaniques ?... Incitations du ciliaire ?... Injections de sang artériel ?... Peu concluant tout cela !

— Il va sans dire qu'aussitôt après la triste cérémonie, vos restes s'en iront reposer en paix dans la terre et qu'aucun de nos scalpels ne vous touchera, reprit Velpeau. — Non !... Mais, au tomber du couteau, je serai là, moi, debout, en face de vous, contre la machine. Aussi vite que possible, votre tête passera des mains de l'exécuteur entre les miennes. Et alors — l'expérience ne pouvant être sérieuse et concluante qu'en raison de sa simplicité même — je vous crierai, très distinctement, à l'oreille : — « Monsieur Couty de La Pommerais, en souvenir de nos conventions pendant la vie, pouvez-vous, *en ce moment,* abaisser, *trois fois de suite,* la paupière de votre œil droit en maintenant l'autre œil tout grand ouvert ? — » Si, *à ce moment,* quelles que soient les autres contractions du faciès, vous pouvez, par ce triple clin-d'œil, m'avertir que vous m'avez entendu et compris, et me le prouver en impressionnant ainsi, par un acte de mémoire et de volonté permanente, votre muscle palpébral, votre nerf zygomatique et votre conjonctive — en dominant toute l'horreur, toute la houle des autres impressions de votre être — ce fait suffira pour illuminer la Science, révolutionner nos convictions. Et je saurai, n'en doutez pas, le notifier de manière à ce que, dans l'avenir, vous laissiez moins la mémoire d'un criminel que celle d'un héros.

A ces insolites paroles, M. de La Pommerais parut frappé d'un saisissement si profond que, les pupilles dilatées et fixées sur le chirurgien, il demeura, pendant une minute, silencieux et comme pétrifié. — Puis, sans mot dire, il se leva, fit quelques pas, très pensif, et, bientôt, secouant tristement la tête :

— L'horrible violence du coup me jette hors de moi-même. Réaliser ceci me paraît au-dessus de tout vouloir, de tout effort humain ! dit-il. D'ailleurs, on dit que les *chances* de viabilité ne sont pas les mêmes pour tous les guillotinés. Cependant... revenez, monsieur, le matin de l'exécution. Je vous répondrai si je me prête, ou non, à cette tentative à la fois effroyable, révoltante et illusoire. — Si c'est non, je compte sur votre discrétion, n'est-ce pas, pour laisser ma tête saigner tranquillement ses dernières vitalités dans le seau d'étain qui la recevra.

— A bientôt donc, M. de La Pommerais ? dit Velpeau en se levant aussi. — Réfléchissez.

Tous deux se saluèrent.

L'instant d'après, le docteur Velpeau quittait la cellule : le gardien rentrait, et le condamné s'étendait, résigné, sur son lit de camp pour dormir ou songer.

*
* *

Quatre jours après, vers cinq heures et demie du matin, M. Beauquesne, l'abbé Crozes, M. Claude et M. Potier, greffier de la Cour impériale, entrèrent dans la cellule. — Réveillé, M. de La Pommerais, à la nouvelle de

l'heure pénale, se dressa sur son séant, fort pâle, et
s'habilla vite. — Puis, il causa dix minutes avec l'abbé
Crozes, dont il avait déjà bien accueilli les visites : on
sait que le saint prêtre était doué de cette onction d'inspiré
qui rend vaillante la dernière heure. Ensuite, voyant sur-
venir le docteur Velpeau :

— J'ai travaillé, dit-il. Voyez !

Et, pendant la lecture de l'arrêt, il tint close sa paupière
droite en regardant le chirurgien fixement de son œil
gauche tout grand ouvert.

Velpeau s'inclina profondément, puis, se tournant vers
M. Hendreich, qui entrait avec ses aides, il échangea,
très vite, avec l'exécuteur, un signe d'intelligence.

La toilette fut rapide : l'on remarqua que le *phénomène
des cheveux blanchissant à vue d'œil sous les ciseaux* ne
se produisit pas. — Une lettre d'adieu de sa femme, lue à
voix basse par l'aumônier, mouilla ses yeux de pleurs que
le prêtre essuya pieusement avec le morceau ramassé de
l'échancrure de la chemise. Une fois debout et sa redingote jetée sur les épaules, on dut desserrer ses entraves
aux poignets. Puis il refusa le verre d'eau-de-vie — et
l'escorte se mit en marche dans le couloir. A l'arrivée au
portail, rencontrant, sur le seuil, son collègue :

— A tout à l'heure ! lui dit-il très bas, — et adieu.

Soudain, les vastes battants de fer s'entrouvrirent et
roulèrent devant lui.

Le vent du matin entra dans la prison : il faisait petit
jour : la grande place, au loin, s'étendait, cernée d'un
double cordon de cavalerie ; — en face, à dix pas, en un
demi-cercle de gendarmes à cheval, dont les sabres, tirés
à son apparition, bruirent, surgissait l'échafaud. — A
quelque distance, parmi des groupes d'envoyés de la
presse, on se découvrait.

Là-bas, derrière les arbres, on entendait les houleuses
rumeurs de la foule, énervée par la nuit. Sur les toits des
guinguettes, aux fenêtres, quelques filles fripées, livides,
en soieries voyantes, — d'aucunes tenant encore une
bouteille de champagne — se penchaient en compagnie
de tristes habits noirs. Dans l'air matinal, sur la place, des
hirondelles volaient, de-ci, de-là.

Seule, emplissant l'espace et bornant le ciel, la guillotine semblait prolonger sur l'horizon l'ombre de ses deux bras levés, entre lesquels, bien loin, la-haut, dans le bleuissement de l'aube, on voyait scintiller la dernière étoile.

A ce funéraire aspect, le condamné frémit, puis marcha, résolument, vers l'échappée... Il monta les degrés d'alors. Maintenant le couteau triangulaire brillait sur le noir châssis, voilant l'étoile. Devant la planche fatale, après le crucifix, il baisa cette messagère boucle de ses propres cheveux, ramassée, pendant la toilette, par l'abbé Crozes, qui lui en toucha les lèvres : — « Pour *elle!*... » dit-il.

Les cinq personnages se détachaient, en silhouettes, sur l'échafaud : le silence, en cet instant, se fit si profond que le bruit d'une branche cassée, au loin, sous le poids d'un curieux, parvint, avec le cri et quelques vagues et hideux rires, jusqu'au groupe tragique. Alors, comme l'heure sonnait dont il ne devait pas entendre le dernier coup, M. de La Pommerais aperçut, en face, de l'autre côté, son étrange expérimentateur, qui, une main sur la plate-forme, le considérait !... Il se recueillit une seconde et ferma les yeux.

Brusquement, la bascule joua, le carcan s'abattit, le bouton céda, la lueur du couteau passa. Un choc terrible secoua la plate-forme ; les chevaux se cabrèrent à l'odeur magnétique du sang et l'écho du bruit vibrait encore, que, déjà, le chef sanglant de la victime palpitait entre les mains impassibles du chirurgien de la Pitié, lui rougissant à flots les doigts, les manchettes et les vêtements.

C'était une face sombre, horriblement blanche, aux yeux rouverts et comme distraits, aux sourcils tordus, au rictus crispé : les dents s'entrechoquaient ; le menton, à l'extrémité du maxillaire inférieur, avait été intéressé.

Velpeau se pencha vite sur cette tête et articula, dans l'oreille droite, la question convenue. — Si affermi que fût cet homme, le résultat le fit tressaillir d'une sorte de frayeur froide : *la paupière de l'œil droit s'abaissait, l'œil gauche, distendu, le regardait.*

— Au nom de Dieu même et de notre être, encore deux fois ce signe ! — cria-t-il un peu éperdu.

Les cils se disjoignirent, comme sous un effort interne ; mais la paupière ne se releva plus. Le visage, de seconde en seconde, devenait rigide, glacé, immobile. — C'était fini.

Le docteur Velpeau rendit la tête morte à M. Hendreich qui, rouvrant le panier, la plaça, selon l'usage, entre les jambes du tronc déjà raidi.

Le grand chirurgien baigna ses mains dans l'un des seaux destinés au lavage, déjà commencé, de la machine. Autour de lui la foule s'écoulait, soucieuse, sans le reconnaître. Il s'essuya, toujours en silence.

Puis, à pas lents, le front pensif et grave ! — il rejoignit sa voiture demeurée à l'angle de la prison. Comme il y montait, il aperçut le fourgon de justice qui s'éloignait au grand trot vers Montparnasse.

*Expérience scientifique sur un guillotiné
- deux places par le Pr [...]
Pr Velpeau. Y-a-t-il une lueur de mémoire, de réflexion de sensibilité réelle dans le cerveau après le coup ?*

CATALINA

A Monsieur Victor Wilder [117].

— « Ma délicieuse et solitaire villa sise aux bords de la Marne, avec son enclos et son frais jardin, si ombreuse l'été, si chaude l'hiver, — mes livres de métaphysique allemande, mon piano d'ébène aux sons purs, ma robe de chambre à fleurs éteintes, mes si commodes pantoufles, ma paisible lampe d'étude, — et toute cette existence de profondes songeries, si chère à mes goûts de recueillement, — oui, je résolus, par un beau soir d'été, d'en secouer les charmes durant quelques semaines d'exil.

Voici. Pour me détendre l'esprit de ces abstraites méditations, auxquelles j'avais trop longtemps consacré, — me semblait-il enfin, — toute ma juvénile énergie, je venais de concevoir le projet d'accomplir quelque gai voyage, *où les seules contingences du monde phénoménal distraieraient, par leur frivolité même, l'anxieux état de mon entendement quant aux questions qui l'avaient, jusque-là, préoccupé.* Je voulais... ne plus penser, me reposer le mental ! sommeiller les yeux ouverts comme un vivant convenu. — Un tel voyage de récréation ne pouvait, d'abord (ce présumai-je), qu'être utile à ma chère santé, car je m'étiolais, en vérité, sur ces redoutables bouquins ! — Bref, d'après mon espoir, pareille diversion me rendrait au parfait équilibre de moi-même et, certes, j'apprécierais, au retour, les nouvelles forces que cette trêve intellectuelle m'aurait procurées.

Voulant m'éviter, en cette excursion, toute occasion de penser ou de rencontrer des penseurs, je ne voyais guère, sur la surface du globe, — à l'exception de pays tout à

fait rudimentaires), — oui je ne voyais qu'une seule
contrée dont le sol fantaisiste, artistique et oriental n'a
jamais fourni de métaphysiciens à l'Humanité. A ce si-
gnalement, nous reconnaissons, n'est-il pas vrai ? la Pé-
ninsule Ibérique. Ce soir-là, donc, — et à cette réflexion
décisive, — assis en la tonnelle du jardin, où, tout en
suivant, du regard, les spirales opalisées d'une cigarette,
je savourais l'arôme d'une tasse de pur café, je ne résistai
pas, je l'avoue, au plaisir de m'écrier : « Allons ! vive la
fugue joyeuse à travers les Espagnes ! Je veux me laisser,
à mon tour, séduire par les chefs-d'œuvre du bel art
sarrasin ! par les ardentes peintures des maîtres passés !
par la beauté apparue entre les battements de vos éven-
tails noirs, pâles femmes de l'Andalousie ! Vivent les
villes souveraines, au ciel enchanté, aux chatoyants souvenirs, et que, la nuit sous ma lampe, j'ai entrevues dans
les récits des touristes ! A moi aussi Cadix, Tolède, Cor-
doue, Grenade, Salamanque, Séville, Murcie, Madrid et
Pampelune ! — C'est dit : partons. »

Toutefois, n'aimant que les aventures simples, les in-
cidences et les sensations calmes, les événements en
rapport avec ma tranquille nature, je résolus, au préala-
ble, d'acheter l'un de ces *Guides du Voyageur,* grâce
auxquels on sait, à l'avance, *ce que l'on va voir* et qui
préservent les tempéraments nerveux de toute émotion
inattendue.

Ce devoir dûment rempli dès le lendemain, je me
nantis d'un portefeuille modestement mais suffisamment
garni ; je bouclai ma légère valise ; je la pris à la main
— et, laissant ma gouvernante stupéfaite à la garde de la
maison — je me rendis, en moins d'une heure, en notre
capitale.

Sans m'y arrêter, je criai à un cocher de me conduire à
la gare du Midi. — Le lendemain, de Bordeaux, j'attei-
gnis Arcachon. Après une bonne et rafraîchissante plon-
gée dans la mer, suivie d'un excellent déjeuner, je
m'acheminai vers la rade. — Un steamer, justement en
partance pour Santander, *Le Véloce,* m'apparut. J'y pris
passage.

On leva l'ancre. Sur le déclin de l'après-midi, le vent

de terre nous apporta de subits effluves de citronniers, et, peu d'instants après, nous étions en vue de cette côte espagnole que domine la charmante cité de Santander, entourée, à l'horizon, de hauteurs verdoyantes.

Le soir violaçait la mer, dorée encore à l'Occident : contre les rochers de la rade s'écroulait une écume de pierreries. Le steamer se fraya passage entre les navires ; un pont de bois, lancé de la jetée, vint s'accrocher à la proue. A l'exemple des autres passagers, j'abordai puis m'engageai sur le quai rougi du soleil, au milieu d'une population nouvelle.

On débarquait. Les colis, pleins d'exotiques produits, les cages d'oiseaux d'Australie, les arbustes, heurtaient les caisses de produits des Iles ; une odeur de vanille, d'ananas et de coco, flottait dans l'air. D'énormes fardeaux, étiquetés de marques coloniales, étaient soulevés, chargés, s'entrecroisaient et disparaissaient, en hâte, vers la ville. Quant à moi, le roulis m'ayant un peu fatigué, j'avais laissé ma valise à bord et j'allais me mettre en quête d'une hôtellerie provisoire où passer une première nuit, lorsque, parmi les officiers de marine qui se promenaient sur la jetée en fumant et en prenant l'air de mer, je crus apercevoir le visage d'un ami d'autrefois, d'un camarade d'enfance, en Bretagne. L'ayant bien regardé, oui je le reconnus. Il portait l'uniforme de lieutenant de vaisseau ; je vins à lui.

— N'est-ce pas à M. Gérard de Villebreuse que j'ai l'honneur de parler ? lui demandai-je.

J'eus à peine le temps d'achever. Avec cette effusion cordiale qui s'échange d'ordinaire entre compatriotes se rencontrant sur un sol étranger, il m'avait pris les deux mains :

— Toi ! s'écria-t-il ; comment, toi, ici, en Espagne ?

— Oh ! simple excursion d'amateur, mon cher Gérard !

En deux mots je le mis au courant de mon innocente envolée.

Bras dessus, bras dessous, nous nous éloignâmes, liant causerie, ainsi que deux vieux amis qui se retrouvent.

— Moi, me dit-il, je suis ici depuis trois jours. J'arrive

de plusieurs tours du monde, et, pour l'instant, des Guyanes. J'apporte au Musée zoologique de Madrid des collections d'oiseaux-mouches, pareils à de petites pierres précieuses incrustées d'ailes ; puis des oignons de grandes orchidées du Brésil, fleurs futures, dont les couleurs et les capiteux parfums sont l'enchantement et la surprise des Européens ; puis... *un trésor,* mon ami !... Je te ferai admirer l'objet ! — Un splendide rutilant, et... (il vaut au moins six mille francs !...)

Il s'arrêta, puis se penchant à mon oreille :

— Devine ! Ah ! ah ! devine ! ajouta-t-il d'un ton bizarre.

A ce point confidentiel de la phrase, une petite main déliée, couleur de topaze très claire, se glissant entre lui et moi, se posa, comme l'aile d'un oiseau de Paradis, sur l'épaulette d'or du lieutenant.

L'on se retourna.

— Catalina ! dit joyeusement M. de Villebreuse : toutes les bonnes fortunes, ce soir !

C'était une jeune fille de couleur, hier une enfant, coiffée d'un foulard feu d'où passaient, à l'entour de son joli visage, mille boucles crêpelées aux tons noir bleuâtre. Rieuse, elle haletait doucement de sa course vers nous, montrant ses dents radieuses. La bouche épaisse, violemment rouge, s'entrouvrait, respirant vite.

— Olè ! s'écria-t-elle.

Et la mobilité de ses prunelles, d'un noir étincelant, avivait la chaude pâleur ambrée de ses joues. Ses narines de sauvagesse, aux senteurs qui passaient des lointaines Antilles, se dilataient. — Une mousseline, d'où tombaient ses bras nus, flottait sur le battement léger du sein. Sur les soieries brunes d'une basquine [118] bariolée de rayures d'un jaune d'or, était suspendu, à hauteur de la ceinture, un frêle éventaire en treillis, chargé de roses-mousse, de boutons, à peine en fleurs, de tubéreuse et d'oranger. — Au bracelet de son poignet gauche tintait une paire de sonores castagnettes en bois d'acajou. — Ses petits pieds de créole, en souliers brodés, avaient cette excitante allure, habituelle aux filles paresseuses de La Havane. Vraiment, de subtiles voluptés émanaient de cette aimable jeune fille. — A sa hanche, pour un mouvement, flambaient, aux derniers rayons du crépuscule, les cuivreries d'un tambour de basque.

En silence, elle piqua deux boutons de roses-mousse à nos boutonnières, nous forçant ainsi de respirer ses cheveux tout pénétrés de senteurs de savanes.

— Nous dînons ensemble, tous trois ? dit le lieutenant.

— C'est que... Je n'ai pas encore d'hôtellerie pour cette nuit : je viens d'arriver, lui répondis-je.

— Tant mieux. Notre auberge est là-bas, sur la falaise en vue de la mer. C'est cette haute maison isolée, à deux cents pas de nous. Vois-tu, nous aimons à tenir de l'œil nos bâtiments. Nous dînerons dans la salle basse avec des officiers de marine de mes amis et, sans doute, quelques autres échantillons de la flore féminine de Santander. L'hôte a du Jerez nouveau. Cela se boit comme de l'eau claire, ce Jerez-des-Chevaliers !... Il faut s'y habituer, par exemple. — Marchons ! ajouta-t-il en enlaçant par la taille la jolie mulâtresse qui se laissa faire en nous regardant.

La nuit recevait les derniers adieux d'un vieux soleil magnifique.

Les flots, au ras de l'horizon, semblaient des braises mouvantes. Le vent d'ouest, sur la plage, soufflait une âpre odeur marine. Nous nous hâtions sur la lumière rouge du sable. Catalina courait devant nous, essayant d'attraper, avec son tambour de basque, les papillons que les ombres tombantes chassaient des orangers vers l'océan.

Et Vénus s'élevait, maintenant, dans le bleu pâle du ciel.

— Nous aurons une nuit sans lune, me dit M. de Villebreuse : c'est dommage ! Nous eussions promené par la ville : bah ! nous ferons mieux.

— Est-ce à toi, cette si charmante fille ? lui demandai-je.

— Non, c'est une bouquetière du quai. Cela peut vivre d'oranges, de cigarettes et de pain noir, mais cela *n'aime* que ceux qui lui plaisent. Elles sont nombreuses, sur les jetées espagnoles, mon ami, ces sortes de donneuses de

roses. Cela change de Paris, n'est-ce pas ? Dans les autres
contrées du monde, c'est toujours différent à chaque cinq
cents lieues. — Mon caprice, à moi, se trouve dans le 44°
de latitude sud. — Si le cœur te dit, fais-lui la cour. Tu es
présenté comme elle s'est présentée. Libre à toi ! — Mais
voici l'hôtellerie.

L'aubergiste, résille au front, apparut, nous faisant
accueil jovial...

Mais, au moment de franchir le seuil, le lieutenant
tressaillit et s'arrêta, pâlissant à vue d'œil tout à coup.

Sans aucune transition, le sympathique jeune homme
était devenu d'une gravité de visage des plus saisissantes.

Il me prit la main et, après un moment de songerie, les
yeux sur mes yeux :

— Pardon, mon cher ami, me dit-il, mais, dans la
surprise que m'a causée ta soudaine rencontre, j'ai oublié
que je ne dois pas et ne pourrais plus me divertir ce soir.
C'est jour de deuil pour moi. C'est un anniversaire dont
les heures me sont sacrées. En un mot, c'est jour pour
jour que je perdis ma mère il y a trois ans. J'ai, dans ma
cabine, des reliques de la sainte et chère femme — et,
naturellement, je vais m'enfermer avec son souvenir.
Allons, ta main ! et à demain ! — Consolez-vous de mon
absence du mieux possible, ajouta-t-il en nous regardant ;
demain je viendrai t'éveiller. — Une chambre pour monsieur ! cria-t-il à l'hôtelier.

— J'ai regret, mais plus de chambres ! répondit celui-ci.

— Allons, tiens ! me dit M. de Villebreuse préoccupé, prends ma clef : on dormira bien ; le lit est bon.

Son regard était triste et distrait : il me serra encore la
main, dit un bonsoir à la jeune fille et s'éloigna vivement
vers la rade sans ajouter une parole.

Un peu stupéfait de la soudaineté de l'incident, je le
suivis, un instant, de ce regard à la fois sceptique et
pensif qui signifie : « Chacun ses morts. » — Puis, j'entrai.

La Catalina m'avait précédé dans la salle basse : elle
avait choisi, près d'une fenêtre donnant sur la mer, une
petite table recouverte d'une serviette blanche, à la fran-

çaise, et sur laquelle l'hôtelier plaça deux bougies allumées.

Ma foi, malgré l'ombre de tristesse laissée en mon esprit par les paroles de mon ami, ce ne fut pas sans plaisir que j'obéis aux yeux engageants de cette jolie charmeuse. Je m'assis donc auprès d'elle. L'occasion et l'heure étaient aussi douces qu'inattendues.

Nous dînâmes en face de ces grands flots qui enserrent avec un véritable amour, sous les étoiles, ce rivage fortuné. Je comprenais le babil rieur de Catalina, dont l'espagnol havanais se mêlait de mots inconnus.

D'autres officiers, des passagers, des voyageurs dînaient aussi autour de nous dans la salle avec de très belles filles du pays.

Tout à coup, au cinquième verre de Jerez, je m'aperçus que l'avis du lieutenant était bien fondé. Je voyais trouble et les fumées dorées de ce vin m'alourdissaient le front avec une intensité brusque. Catalina aussi avait les yeux très brillants ! Et deux cigarettes, qu'elle me tendit après les avoir allumées, décidèrent, entre nous, la griserie la plus imprévue. Elle posa le doigt sur mon verre, cette fois, en riant aux éclats, me défendant de boire.

— Trop tard !... lui dis-je.

Et glissant deux pièces d'or dans sa petite main :

— Tiens ! ajoutai-je, tu es trop charmante ! mais... j'ai le front lourd. Je veux dormir.

— Moi aussi, répondit-elle.

Ayant fait signe à l'hôtelier, je demandai la chambre du lieutenant. Nous quittâmes la salle. Il prit un chandelier, dans le plateau de fer duquel il posa une forte pincée d'allumettes ; le bout de bougie, une fois allumé, nous montâmes, éclairés de la sorte. Catalina me suivait, s'appuyant à la rampe, en étouffant son gentil rire un peu effronté.

Au premier étage, nous traversâmes un long couloir à l'extrémité duquel l'hôte s'arrêta devant une porte. Il prit ma clef, ouvrit — et, comme on l'appelait en bas, me tendit vite le chandelier, en me disant :

— Bonne nuit, monsieur !

J'entrai.

A la trouble lueur de mon luminaire et les yeux de plus en plus voilés par le vin d'Espagne, j'aperçus, vaguement, une chambre d'auberge ordinaire. Celle-ci était plutôt longue que large. — Au fond, entre les deux fenêtres, une massive armoire à glace, importée là d'occasion — et par hasard, sans doute, — nous reflétait, la mulâtresse et moi. Une cheminée sans pendule, à paravent. Une chaise de paille, auprès du lit, dont le chevet touchait l'ouverture de la porte.

Pendant que je donnais un tour de clef, l'enfant dont les pas, aussi surpris que les miens par cette insidieuse et absurde ivresse, chancelaient quelque peu, se jeta sur le lit, tout habillée. Elle avait laissé en bas, sur la table, son tambour de basque et son éventaire. Je posai le chandelier sur la chaise. Je m'assis sur le lit, auprès de cette rieuse fille, qui, la tête sous l'un de ses bras, semblait déjà presque endormie. Un mouvement que je fis pour l'embrasser m'appuya la tête sur l'un des oreillers. Je fermai les yeux malgré moi. Je m'étendis, tout habillé aussi, auprès d'elle et, très vite, sans m'en apercevoir, — il n'y eût pas à dire — je tombai dans un profond et bienfaisant sommeil.

Vers le milieu de la nuit, réveillé par une secousse indéfinissable, je crus entendre, dans le noir (car la bougie s'était consumée pendant mon repos), un bruit faible, comme celui du vieux bois qui craque. Je n'y accordai que peu d'attention : cependant, j'ouvris les yeux tout grands dans l'obscurité.

Et l'arrivée, la plage, la soirée, le lieutenant Gérard, la Catalina, l'anniversaire, le Jerez, tout me revint à l'esprit, en de très nettes lignes de mémoire. Un sentiment de regret vers ma petite villa tranquille des bords de la Marne évoqua, dans ma songerie, ma chambre, mes livres, ma lampe d'étude et les joies du recueillement intellectuel que j'avais quittées. Une demi-minute se passa de la sorte.

J'entendais auprès de moi la paisible respiration de la créole endormie.

Soudain, le vent m'apporta le bruit de l'heure sonnant

à quelque vieille église, là-bas, dans la ville : c'était minuit.

Chose vraiment surprenante, il me parut — (c'était une pensée tenant encore du sommeil, évidemment, — une absurde, une insolite idée… Ah ! ah ! j'étais bien réveillé, cependant !) — il me parut, dès les premiers coups qui tombèrent du clocher à travers l'espace, *que le balancier de ce cadran lointain se trouvait dans la chambre et, de ses chocs lents et réguliers, heurtait, alternativement, tantôt la maçonnerie du mur, tantôt la cloison d'une pièce voisine.*

En vain mes yeux essayaient de scruter l'épaisseur des ombres au milieu de la chambre où ce bruit du battant continuait de scander l'heure à droite et à gauche !

Je ne sais pourquoi, je devenais très inquiet de l'entendre.

Et puis, s'il faut tout dire, le son de ce vent de mer qui, me semblait-il, passait à travers les interstices des fenêtres, je commençai à le trouver aussi bien étrange : il produisait le bruit d'une sorte de *sifflet de bois mouillé.*

Ainsi accompagné du battement de l'invisible balancier — et de ce mauvais bruit du vent de mer, — ce lent minuit me paraissait interminable.

— Hein ?… Quoi ? — Que se passait-il donc dans l'auberge ? Aux étages d'en haut et dans les chambres avoisinantes, c'étaient des chuchotements, très bas, brefs et haletants, — un va-et-vient de gens qui se rhabillent à la hâte, — et de fortes chaussures de marine sur le plancher : c'étaient des pas précipités de gens qui s'enfuient…

J'étendis la main vers la mulâtresse pour la réveiller. Mais l'enfant *était* réveillée depuis quelques minutes, car elle saisit ma main avec une force nerveuse qui me causa, magnétiquement, une impression de terreur insurmontable. Et puis, — ah ! voilà, voilà ce qui augmenta, tout de suite, en moi, cette transe froide et me glaça, positivement, de la tête aux pieds ! — elle voulait (c'était certain), mais ne pouvait parler, parce que j'entendais ses dents claquer dans le noir silence. Sa main, tout son corps, étaient secoués par un tremblement convulsif. Elle *savait* donc ? Elle *reconnaissait* donc ce que tout cela signifiait !

— Pour le coup, je me dressai et, pendant que vibrait encore, dans l'éloignement, le dernier son du vieux minuit, je criai de toutes mes forces dans l'obscurité :

— Ah ! çà, qu'y a-t-il donc ici ?

A cette question, des voix rauques et dures, qu'une évidente panique assourdissait et entrecoupait, me répondirent de tous côtés dans l'hôtellerie :

— Eh ! vous le savez bien, à la fin, ce qu'il y a !

On me prenait pour le lieutenant ; les voix continuaient :

— Au diable !

— S'il ne faut pas être fou, sacré tonnerre ! pour dormir avec le Diable dans la chambre !

Et l'on s'enfuyait à travers les couloirs et l'escalier, en un tumulte.

Au ton de ces paroles, je sentis, d'une manière confuse, que je rêvassais béatement au milieu de quelque grand péril. Si l'on s'enfuyait avec cette hâte, c'était, à n'en pas douter, que le *terrible* de la chose inconnue — devait être imminent !

Le cœur oppressé par une anxiété mortelle, je repoussai la mulâtresse et je saisis, à tâtons, les allumettes dans le chandelier. — Ah ! ne seraient-elles pas bientôt consumées ? Je fouillai très vite ma poche, j'y trouvai un journal encore plié, que j'avais acheté à Bordeaux. Je le tordis, dans l'obscurité, en forme de torche, et je frottai fiévreusement contre le bois du chevet toutes les allumettes à la fois.

Le fumeux soufre mit du temps à brûler ! Enfin, le destin me permit d'allumer mon flambeau de hasard, — et je regardai dans la chambre.

Le bruit s'était arrêté.

Rien ; je ne voyais rien ! que moi-même, reflété dans la glace de cette vieille armoire et, derrière moi, l'enfant, debout maintenant sur le lit, le dos collé à la muraille, les mains aux doigts écartés posées à plat contre la maçonnerie blanche, les yeux dilatés, fixes, regardant *quelque chose*... que l'excès même de mon saisissement m'empêchait d'apercevoir.

Soudain, je renversai la tête, suffoqué d'une horreur si glaçante que je crus m'évanouir. Qu'avais-je distingué là-bas, dans la glace, reflété aussi ? Mais je n'osais positivement pas ajouter créance au témoignage affolé de mes prunelles ! Ah ! démons ! Je regardai encore et, — oui, je me sentis défaillir à nouveau : mes yeux s'étant rivés, pour ainsi dire, sur l'objet évident qui m'apparaissait, à présent, dans la chambre !

Ah ! c'était donc là le trésor de mon ami, le pieux lieutenant Gérard, — le bon fils, qui priait sans doute en cet instant dans sa cabine ! De désespérés pleurs d'angoisse me voilèrent affreusement les yeux.

Autour des quatre pieds de la grande armoire et lié par un entrecroisement de fines garcettes de marine, était enroulé un constrictor de l'espèce géante, *un formidable python de dix à douze mètres* tel qu'il s'en trouve, parfois, sous les hideux nopals [119] des Guyanes.

Réveillé de son tiède sommeil par la douleur des cordes, l'effroyable ophidien s'était, par un lent glissement, coulé de *trois mètres et demi environ* hors des nœuds qui le desserraient d'autant.

Ce long tronçon de la bête, c'était donc le balancier vivant qui heurtait, tout à l'heure, les murs, à droite et à gauche, pour s'étirer davantage de ses entraves, pendant ce minuit !

Maintenant, la bête, retenue encore, se tendait, de bas en haut, vers moi, du fond de la chambre ; la longueur gonflée, d'un brun verdâtre, tachée de plaques noires aux écaillures à reflets, de la partie libre de son corps, se tenait toute droite, immobile, en face de nous ; et, de l'énorme gueule aux quatre parallèles mâchoires horriblement distendues en angle obtus, s'élançait, en s'agitant, une longue langue bifide, pendant que les braises de ses yeux féroces me regardaient, fixement, l'éclairer !

D'enragés sifflements de fureur que, lors du paisible dorlotement de mon réveil, j'avais pris pour le bruit du vent de mer dans les jointures des fenêtres, jaillissaient, saccadés, du trou ardent de sa gorge, *à moins de deux pieds de mon visage.*

A cette soudaine vision, je ressentis une agonie : il me
sembla que toute ma vie se reproduisait au fond de mon
âme. Au moment où je me sentais faiblir en syncope, un
cri de sanglotant désespoir poussé par la mulâtresse,
— par elle, qui avait tout de suite *reconnu,* dans la nuit,
le sifflement ! — me réveilla l'être.

La tête furibonde, en de petites secousses, s'approchait
de nous...

Spontanément, je bondis par-dessus le chevet du lit,
sans lâcher mon brandon dont les larges flammes, parmi
la fumée, éblouissaient encore la chambre ! Et j'ouvris la
porte, d'une main que, vraiment, l'égarement faisait tâ-
tonner : l'enfant se laissa, toute pantelante, aller entre
mes bras, sans cesser de considérer le dragon qui, nous
voyant fuir, redoublait d'efforts et de sifflements horribles ! Je m'élançai, avec elle, dans le grand couloir, en
tirant très vite et violemment la porte sur nous, — *pendant qu'un terrifiant bruit d'armoire brisée et s'écrou-
lant,* — *mêlé aux sinistres chocs des lourdes volutes de
l'animal, se heurtant, monstre en furie, à travers la
chambre où roulaient des meubles,* — *nous parvenait de
l'intérieur.*

Nous descendîmes avec la rapidité de l'éclair.

En bas, personne ! salle déserte : porte ouverte sur la
falaise.

Sans perdre le temps en oiseux commentaires, nous
nous précipitâmes au-dehors.

Sur la grève, la mulâtresse, m'oubliant, s'enfuit, en
une course éperdue, vers la ville.

La voyant hors de danger, je pris mon vol vers la rade,
dont les falots luisaient là-bas, m'imaginant que
l'effrayant animal roulait ses anneaux le long de la
plage sur mes talons et allait m'atteindre d'un moment à
l'autre.

En quelques minutes, ayant ressaisi ma valise à bord
du *Véloce,* je courus à l'embarcadère du steamer *La
Vigilante* dont sonnait la cloche de départ pour la France.

Trois jours après, de retour en ma chère et tranquille
maison des bords de la Marne, les pieds dans mes pantoufles, assis dans mon fauteuil et enveloppé dans ma

paisible robe de chambre, je rouvrais mes livres de métaphysique allemande, me trouvant l'esprit suffisamment
reposé pour remettre, à une époque indéfinie, tous projets
de nouvelles incursions récréatives à travers les « *contingences du Monde-phénoménal* ».

LE TUEUR DE CYGNES

« Les cygnes comprennent les signes ».
VICTOR HUGO. *Les Misérables* [a].

a. Inutile (pensons-nous) d'ajouter qu'en cette authentique citation, ce n'est pas l'auteur de *La Bouche d'ombre* qui parle, — mais simplement *l'un de ses personnages*. Il serait peu juste, en effet, d'attribuer à un Auteur *même* les prud'homies, monstruosités blasphématoires ou vils jeux de mots — que, pour des raisons spéciales et peut-être hautes — il se résout, tristement, à prêter à certains Ilotes de son imagination. [Note de l'auteur.]

A Monsieur Jean Marras [120].

A force de compulser des tomes d'Histoire naturelle, notre illustre ami, le docteur Tribulat Bonhomet avait fini par apprendre que *« le cygne chante bien avant de mourir* [121] *»*. — En effet (nous avouait-il récemment encore), cette musique seule, depuis qu'il l'avait entendue, l'aidait à supporter les déceptions de la vie et toute autre ne lui semblait plus que du charivari, du « Wagner [122] ».

— Comment s'était-il procuré cette joie d'amateur ? — Voici :

Aux environs de la très ancienne ville fortifiée qu'il habite, le pratique vieillard ayant, un beau jour, découvert dans un parc séculaire à l'abandon, sous des ombrages de grands arbres, un vieil étang sacré — sur le sombre miroir duquel glissaient douze ou quinze des calmes oiseaux, — en avait étudié soigneusement les abords, médité les distances, remarquant surtout le cygne noir, leur veilleur, qui dormait, perdu en un rayon de soleil.

Celui-là, toutes les nuits, se tenait les yeux grands ouverts, une pierre polie en son long bec rose, et, la moindre alerte lui décelant un danger pour ceux qu'il gardait, il eût, d'un mouvement de son col, jeté brusquement dans l'onde, au milieu du blanc cercle de ses endormis, la pierre d'éveil : — et la troupe à ce signal, guidée encore par lui, se fût envolée à travers l'obscurité sous les allées profondes, vers quelques lointains gazons ou telle fontaine reflétant de grises statues, ou tel autre

asile bien connu de leur mémoire. — Et Bonhomet les
avait considérés longtemps, en silence, — leur souriant,
même. N'était-ce pas de leur dernier chant dont, en
parfait dilettante, il rêvait de se repaître bientôt les
oreilles ?

Parfois donc, — sur le minuit sonnant de quelque
automnale nuit sans lune, — Bonhomet, travaillé par une
insomnie, se levait tout à coup, et, pour le concert qu'il
avait besoin de réentendre, s'habillait spécialement.
L'osseux et gigantal [123] docteur, ayant enfoui ses jambes
en de démesurées bottes de caoutchouc ferré, que continuait, sans suture, une ample redingote imperméable,
dûment fourrée aussi, se glissait les mains en une paire de
gantelets d'acier armorié, provenue de quelque armure du
Moyen Age (gantelets dont il s'était rendu l'heureux
acquéreur au prix de trente-huit beaux sols, — une folie !
— chez un marchand de passé). Cela fait, il ceignait son
vaste chapeau moderne, soufflait la lampe, descendait,
et, la clef de sa demeure une fois en poche, s'acheminait,
à la bourgeoise, vers la lisière du parc abandonné.

Bientôt, voici qu'il s'aventurait, par les sentiers sombres, vers la retraite de ses chanteurs préférés — vers
l'étang dont l'eau peu profonde, et bien sondée en tous
endroits, ne lui dépassait pas la ceinture. Et, sous les
voûtes de feuillée qui en avoisinaient les atterrages [124], il
assourdissait son pas, au tâter des branches mortes.

Arrivé tout au bord de l'étang, c'était lentement, bien
lentement — et sans nul bruit ! — qu'il y risquait une
botte, puis l'autre, — et qu'il s'avançait, à travers les
eaux, avec des précautions inouïes, tellement inouïes
qu'à peine osait-il respirer. Tel un mélomane à l'immi-
nence de la cavatine [125] attendue. En sorte que, pour
accomplir les vingt pas qui le séparaient de ses chers
virtuoses, il mettait généralement de deux heures à deux
heures et demie, tant il redoutait d'alarmer la subtile
vigilance du veilleur noir.

Le souffle des cieux sans étoiles agitait plaintivement
les hauts branchages dans les ténèbres autour de l'étang :
— mais Bonhomet, sans se laisser distraire par le mystérieux murmure, avançait toujours insensiblement, et si

bien que, vers les trois heures du matin, il se trouvait, invisible, à un demi-pas du cygne noir, sans que celui-ci eût ressenti le moindre indice de cette présence.

Alors, le bon docteur, en souriant dans l'ombre, grattait doucement, bien doucement, effleurait à peine, du bout de son index moyen âge, la surface abolie de l'eau [126], devant le veilleur!... Et il grattait avec une douceur telle que celui-ci, bien qu'étonné, ne pouvait juger cette vague alarme comme d'une importance digne que la pierre fût jetée. Il écoutait. A la longue, son instinct, se pénétrant obscurément de l'*idée* du danger, son cœur, oh! son pauvre cœur ingénu se mettait à battre affreusement : — ce qui remplissait de jubilation Bonhomet.

Et voici que les beaux cygnes, l'un après l'autre, troublés, par ce bruit, au profond de leurs sommeils, se détiraient onduleusement la tête de dessous leurs pâles ailes d'argent, — et, sous le poids de l'ombre de Bonhomet, entraient peu à peu dans une angoisse, ayant on ne sait quelle confuse conscience du mortel péril qui les menaçait. Mais, en leur délicatesse infinie, ils souffraient en silence, comme le veilleur, — ne pouvant s'enfuir, *puisque la pierre n'était pas jetée!* Et tous les cœurs de ces blancs exilés se mettaient à battre des coups de sourde agonie, — *intelligibles* et distincts pour l'oreille ravie de l'excellent docteur, qui, — sachant bien, lui, ce que leur causait, *moralement,* sa seule proximité, — se délectait, en des prurits incomparables, de la terrifique sensation que son immobilité leur faisait subir.

— Qu'il est doux d'encourager les artistes! se disait-il tout bas.

Trois quarts d'heure, environ, durait cette extase, qu'il n'eût pas troquée contre un royaume. Soudain, le rayon de l'Étoile-du-matin, glissant à travers les branches, illuminait, à l'improviste, Bonhomet, les eaux noires et les cygnes aux yeux pleins de rêves! le veilleur, affolé d'épouvante à cette vue, jetait la pierre... — Trop tard!... Bonhomet, avec un grand cri horrible, où semblait se démasquer son sirupeux sourire, se précipitait, griffes levées, bras étendus, à travers les rangs des oiseaux sacrés ! — Et rapides étaient les étreintes des doigts de fer de ce preux moderne : et les purs cols de neige de deux ou trois chanteurs étaient traversés ou brisés avant l'envolée radieuse des autres oiseaux-poètes.

Alors, l'âme des cygnes expirants s'exhalait, oublieuse du bon docteur, en un chant d'immortel espoir, de délivrance et d'amour, vers des Cieux inconnus.

Le rationnel docteur souriait de cette sentimentalité, dont il ne daignait savourer, en connaisseur sérieux, qu'une chose, — LE TIMBRE. — Il ne prisait, musicalement, que la douceur singulière *du timbre* de ces symboliques voix, qui vocalisaient la Mort comme une mélodie.

Bonhomet, les yeux fermés, en aspirait, en son cœur, les vibrations harmonieuses : puis, chancelant, comme en un spasme, il s'en allait échouer à la rive, s'y allongeait sur l'herbe, s'y couchait sur le dos, en ses vêtements bien chauds et imperméables.

Et là, ce Mécène de notre ère, perdu en une torpeur voluptueuse, ressavourait, au tréfonds de lui-même, le souvenir du chant délicieux — bien qu'entaché d'une sublimité selon lui démodée — de ses chers artistes.

Et, résorbant sa comateuse extase, il en ruminait ainsi, à la bourgeoise, l'exquise impression jusqu'au lever du soleil.

LE JEU DES GRÂCES

A Monsieur Victor Wilder [127].

Oh! cela n'empêche pas les sentiments!...
STÉPHANE MALLARMÉ
Entretiens [128].

Les feux d'or du soir, au travers de moutonneuses nuées mauves, poudraient d'impalpables pierreries les feuilles d'assez vieux arbres, ainsi que d'automnales roses, à l'entour d'une pelouse encore mouillée d'orage : le jardin s'enfonçait entre les murs tendus de lierre des deux maisons voisines ; une grille aux pointes dorées le séparait de la rue, en ce quartier tranquille de Paris. Les rares passants pouvaient donc entrevoir, au fond de ce jardin, la façade avenante de la demeure, et, dans une pénombre, le perron, surélevé de trois marches, sous sa marquise.

Or, perdues en les lueurs de cette vesprée, sur le gazon, jouaient, au *Jeu des Grâces,* trois enfants blondes, — oh ! quatorze, douze et dix ans à peine, innocence ! — Eulalie, Bertrande et Cécile Rousselin quelque peu folâtres en leurs petites robes d'orléans [129] noire. Riant de plaisir, en ce deuil, — n'était-ce pas de leur âge ? — elles se renvoyaient, du bout de leurs bâtonnets d'acajou, de courts cerceaux de velours rouge festonnés de liserons d'or.

Elle avait aimé feu son époux, — ayant conquis, d'ailleurs, à ses côtés, dans le commerce des bronzes d'art, une aisance, — la belle Madame Rousselin ! Séduisante, économe et tendre, perle bourgeoise, elle s'était retirée avec ses filles, en cette habitation, depuis les dix mois et demi d'où datait son sévère veuvage, qu'elle présumait éternel.

Jamais, en effet, son mari ne lui avait semblé plus « sérieux » que depuis qu'il était mort. Cet accident l'avait solennisé, pour ainsi dire, aux yeux en larmes de l'aima-

ble veuve. Aussi, avec quelle tendresse triste se plaisait-
elle à venir, toutes les quinzaines environ, suspendre (de
concert avec ses trois charmantes filles), de sentimentales
couronnes aux murs blancs du caveau neuf! murs que,
par prévoyance, elle avait fait clouter du haut en bas! Sur
ces couronnes se lisaient, en majuscules ponctuées de
pleurs d'argent, des *A mon petit papa chéri!* des *A mon
époux bien-aimé!* — Lorsqu'à de certains anniversaires,
plus intimes, elle venait seule au champ du Repos, c'était
avec un air indéfinissable et presque demi-souriant que,
nouvelle Artémise [130], munie ce jour-là d'une couronne
spéciale, à son usage, elle accrochait celle-ci à des clous
isolés : sur les immortelles, semées alors de myosotis, on
pouvait lire, en caractères tortillés et suggestifs, ces deux
mots du cœur : *« Souviens-toi! »* Car, même avec les défunts, les femmes ont de ces exquises délicatesses où
l'imagination plus grossière de l'homme perd complètement pied, — mais auxquelles il serait à parier, quand
même, que les trépassés ne sont pas insensibles.

Toutefois, comme c'était une femme d'ordre, chez qui
le sentiment n'excluait pas le très légitime calcul d'une
ménagère, la belle Madame Rousselin, dès le premier
trimestre, avait remarqué le prix auquel revenaient,
achetées au détail, ces pâles couronnes, si vite fanées par
les intempéries ; et, séduite par diverses annonces de
journaux qui mentionnaient la découverte de nouvelles
couronnes funèbres inoxydables, obtenues par le procédé
galvanoplastique, résistantes même à l'oubli, — couronnes modernes par excellence! — elle en avait acheté, en
gros, une provision, quelques douzaines, qu'elle conser-
vait au frais, dans la cave, et qui défrayaient, depuis, les
visites bimensuelles au cher décédé.

Soudain, les trois enfants, dont les boucles vermeilles,
alanguies en *repentirs,* sautillaient sur les noirs corsages,
cessèrent de s'ébattre sur l'herbe en fleurs, car, au seuil
du perron, et poussant la porte vitrée, venait d'apparaître
l'épouse, la grave maman toute en deuil, blonde aussi et
déjà pâlie de son abandon. Elle tenait, justement, à la
main, trois de ces couronnes légères et solides, nouveau

système, qu'elle laissa tomber auprès de la rampe, sur la
table verte du jardin, comme pour appuyer de leur impression les paroles suivantes :

— Et que l'on se recueille maintenant, mesdemoisel-
les ! Assez de récréation : oubliez-vous que, demain, nous
devons aller rendre visite à... celui qui n'est plus ?

Sûre d'être obéie (car, au point de vue du cœur, ses
jeunes anges avaient, elle ne l'ignorait pas, de qui tenir),
la belle Madame Rousselin rentra, sans doute afin de
soupirer plus à l'aise en la solitude retirée de sa chambre.

A ces mots et aussitôt seules, Eulalie, Bertrande et
Cécile Rousselin, — dont les rires s'étaient envolés plus
loin que les oiseaux du ciel, — vinrent, à pas lents,
méditatives, s'asseoir et s'accouder autour de la table.

Après un silence :

— C'est pourtant vrai ! pauvre père ! dit à voix basse
Eulalie, la jolie aînée, déjà rêveuse.

Et, prenant un *A mon époux bien-aimé,* elle en considéra, distraitement, l'inscription.

— Nous l'aimions tant ! gémit Bertrande, aux yeux
bleus — où brillaient des larmes.

Sans y prendre garde, imitant Eulalie, elle tournait
entre ses doigts, et le regard fixe, un *A mon petit papa
chéri.*

— Pour sûr qu'on l'aimait bien ! s'écria la pétulante
cadette Cécile, qui, follement énervée encore du jeu
quitté et comme pour accentuer, à sa manière, la sincérité
naïve de son effusion, fit étourdiment sauter en l'air le
Souviens-toi ! qui restait.

Par bonheur, l'aînée, qui tenait encore ses baguettes, y
reçut, et à temps, la plaintive couronne, laquelle s'y
encercla d'abord, — puis, grâce à un mouvement d'inad-
vertance provenu de l'entraînante vitesse acquise, le *Souviens-toi !* s'échappant des bâtonnets, fut recueilli de
même par Bertrande, après s'être croisé en l'air avec l'*A
mon petit papa chéri !* — et l'*A mon époux bien-aimé !*
que Cécile, bien malgré elle, n'avait pu se défendre de
lancer vers ses sœurs.

De sorte que, l'instant d'après — et peut-être en symbole des illusions de la vie, — les trois ingénues, peu à

peu de retour sur la pelouse, substituaient à leurs cerceaux dorés ce nouveau *Jeu des Grâces,* et, inconscientes
déjà, se renvoyaient, mélancoliquement, aux derniers
rayons du soleil, ces *inaltérables* attributs de la sentimentalité moderne.

LES PHANTASMES DE M. REDOUX

A Monsieur Rodolphe Darzens [131].

Ce n'est pas qu'on soit bon, on est content.
XAVIER AUBRYET [132].

Par un soir d'avril de ces dernières années, l'un des plus justement estimés citadins de Paris, M. Antoine Redoux, — ancien maire d'une localité du Centre, — se trouvait à Londres, dans Baker-street.

Cinquantenaire jovial, doué d'embonpoint, nature « en dehors », — mais esprit pratique en affaires, ce digne chef de famille, véritable exemple social, n'échappait cependant pas plus que d'autres, lorsqu'il était seul et s'absorbait en soi-même, à la hantise de certains phantasmes [133] qui, parfois, surgissent dans les cervelles des plus pondérés industriels. Ces cervelles, au dire des aliénistes, une fois hors des affaires, sont des mondes mystérieux, souvent même assez effrayants. Si donc il arrivait à M. Redoux, retiré en son cabinet, d'attarder son esprit en quelqu'une de ces songeries troubles, — dont il ne sonnait mot à personne, — la « lubie » parfois étrange, qu'il s'y laissait aller à choyer, devenait bientôt despotique et tenace au point de le sommer de la *réaliser*. Maître de lui, toutefois, il savait la dissiper (avec un profond soupir !), lorsque la moindre incidence de la vie réelle venait, de son heurt, le réveiller ; — en sorte que ces morbides attaques ne tiraient guère à conséquence ; — néanmoins, depuis longtemps, en homme circonspect, se méfiant d'un pareil « faible », il avait dû s'astreindre au régime le plus sobre, évitant les émotions qui pouvaient susciter en son cerveau le surgir d'un *dada* quelconque. Il buvait peu, surtout ! crainte d'être emporté, par l'ébriété, jusqu'à RÉALISER, en effet, *alors*, telle de ces turlutaines [134] subites dont il rougissait, en secret, le lendemain.

Or, en cette soirée, M. Redoux, ayant, sans y prendre garde, dîné fort bien, chez le négociant (avec lequel il avait conclu, au dessert, l'avantageuse affaire, objet de son voyage d'outre-Manche), ne s'aperçut pas que les insidieuses fumées du porto, du sherry, de l'ale et du champagne altéraient, maintenant, quelque peu, la lucidité susceptible de ses esprits. Bien qu'il fût encore d'assez bonne heure, il revenait à l'hôtel, en son instinctive prudence, lorsqu'il se sentit, soudainement, assailli par une brumeuse ondée. Et il advint que le portail sous lequel il courut se réfugier, se trouvant être celui du fameux musée Tussaud [135], — ma foi, pour s'éviter un rhume, en un abri confortable, ainsi que par curiosité, pour tuer le temps, l'ancien maire de la localité du Centre, ayant jeté son cigare, monta l'escalier du salon de cire.

Au seuil même de la longue salle où se tenait, dans une équivoque immobilité, cette étrange assemblée de personnages fictifs, aux costumes disparates et chatoyants, la plupart couronne en tête, sortes de massives gravures de mode des siècles, Redoux tressaillit. Un objet lui était apparu, tout au fond, sur l'estrade de la Chambre des Horreurs et dominant toute la salle. C'était le vieil instrument qui, d'après des documents à l'appui assez sérieux, avait servi, en France, jadis, pour l'exécution du roi Louis XVI : ce soir-là, seulement, la Direction l'avait extrait de la réserve comme nécessitant diverses réparations : ses assises, par exemple, se faisant vermoulues.

A cette vue et mis au fait, par le programme, de la provenance de l'appareil, l'excellent actualiste-libéral [136] se sentit disposé, pour le roi-martyr, à quelque générosité morale, — grâce à la bonne journée qu'il avait faite. — Oui, toutes opinions de côté, prêt à blâmer tous les excès, il sentit son cœur s'émouvoir en faveur de l'auguste victime évoquée par ce grave spécimen des choses de l'Histoire. Et comme en cette nature intelligente, carrée, mais trop *impressionnable,* les émotions s'approfondissaient vite, ce fut à peine s'il honora d'un coup d'œil vague et circulaire la foule bigarrée d'or, de soie, de pourpre et de perles, des personnages de cire. Frappé par l'impression majeure de *cette* guillotine, songeant au grand drame passé, il avisa, naturellement, le socle où se dressait, dans une allée latérale, l'approximative reproduction de Shakespeare, et s'assit, tout auprès, en confrère, sur un banc.

Toute émotion rend expansives les natures exubérantes : l'ancien maire de la localité du Centre, s'apercevant donc qu'un de ses voisins (français, à son estime, et selon toute apparence) paraissait aussi se recueillir, se tourna vers ce probable compatriote et, d'un ton dolent, laissa tomber, — pour tâter, comme on dit, le terrain, — quelques idées ternes touchant « l'impression PRESQUE triste que causait *cette* sinistre machine, *à quelque opinion que l'on appartînt* ».

Mais, ayant regardé avec attention son interlocuteur, l'excellent homme s'arrêta court, un peu vexé : il venait de constater qu'il parlait, depuis deux minutes, à l'un de ces passants *trompe-l'œil*, si difficiles à distinguer des autres, et que MM. les directeurs des musées de cire se permettent, par malice, d'asseoir sur les banquettes destinées aux vivants.

A ce moment, l'on prévenait, à haute voix, de la fermeture. Les lustres rapidement s'éteignaient, et de derniers curieux, en se retirant comme à regret, jetaient des regards sommaires sur leur fantasmagorique entourage, s'efforçant d'en résumer ainsi l'aspect général.

Toutefois, son expansion rentrée, mêlée d'excitation morbide, avait transformé, de son choc intime, la première impression, déjà malsaine, en une « lubie » d'une intensité insolite, — une sorte de très sombre marotte, qui agita ses grelots, tout à coup, sous son crâne, et à laquelle il n'eut même pas l'idée de résister.

« Oh ! songeait-il, se jouer à soi-même (sans danger, bien entendu !) les sensations terribles, — terribles ! qu'avait dû éprouver, devant cette planche fatale, le bon roi Louis XVI !... Se figurer l'être ! Réentendre, en imagination, le roulement de tambours et la phrase de l'abbé Egdeworth de Firmont [137] ! Puis, épancher son besoin de générosité morale en se donnant le luxe de plaindre — (mais, là, sincèrement !... toutes opinions à part !)

— ce digne père de famille, cet homme trop bon, trop
généreux, cet homme, enfin, si bien doué de toutes les
qualités que lui, Redoux, se reconnaissait avoir ! Quelles
nobles minutes à passer ! Quelles douces larmes à répandre !... — Oui, mais, pour cela, il s'agissait de pouvoir
être seul, devant cette guillotine !... Alors, en secret, sans
être vu de personne, on se livrerait, en toute liberté, à ce
soliloque si *flatteusement* émouvant ! — Comment
faire ?... comment faire ?... »

Tel était l'étrange *dada* qu'enfourchait, troublé par les
fumées des vins de France et d'Espagne, l'esprit, un peu
fiévreux déjà, de l'honorable M. Redoux. Il considérait
l'extrémité des montants, recouverte, ce soir-là, d'une
petite housse qui dérobait la vue du couteau, — sans
doute pour ne point choquer les personnes trop sensibles
qui n'eussent pas tenu à le voir. Et, comme la lubie, cette
fois, *voulait* être réalisée, une ruse lumineuse, surgie de
la difficulté à vaincre, éclaira soudain l'entendement de
M. Redoux :

— Bravo ! c'est cela !... murmura-t-il. — Ensuite,
d'un appel, en allant cogner à la porte, je saurai bien me
faire ouvrir. J'ai mes allumettes ; un bec de gaz, lueur
tragique ! me suffira... Je dirai que je me suis endormi. Je
donnerai une demi-guinée au garçon : ça vaudra bien ça.

La salle était déjà crépusculaire : un fanal d'ouvriers
brillait seul, sur l'estrade, là-bas, — ceux-ci devant arriver au petit jour. Des paillons, des cristaux, des soieries
jetaient des lueurs... Plus personne, sinon le garçon de
fermeture qui s'avançait dans l'allée du *Shakespeare*. Se
tournant donc vers son *voisin*, M. Redoux prit, subitement, une pose immobile ; son geste offrait une prise ; son
chapeau, de bords larges, ses mains rougeaudes, sa figure
enluminée, ses yeux mi-clos et fixes, les plis de sa longue
redingote, toute sa personne roidie, ne respirant plus,
sembla, elle aussi, et à s'y méprendre, celle d'un faux-
passant. Si bien que, dans la presque totale obscurité, le
garçon du musée, en passant près de M. Redoux, soit
sans le remarquer, soit songeant à quelque acquisition
nouvelle dont la Direction ne l'avait pas encore prévenu,
lui donna, comme au *voisin* taciturne, un léger coup de

plumeau, puis s'éloigna. L'instant d'après, les portes se refermèrent. M. Redoux, triomphant, pouvant, enfin, réaliser un de ses phantasmes, se trouvait seul dans les azurées ténèbres, semées d'étincellements, du salon de cire.

Se frayant passage, sur la pointe du pied, à travers tous ces vagues rois et reines, jusqu'à l'estrade, il en monta lentement les degrés vers la lugubre machine : le carcan de bois faisait face à toute la salle. Redoux ferma les yeux pour mieux se *remémorer* la scène de jadis, — et de grosses larmes ne tardèrent pas à rouler sur ses joues ! — Il songeait à celles qui furent toute la plaidoirie du vieux Malesherbes, lequel, chargé de la défense de son roi, ne put absolument que fondre en pleurs devant la « Convention nationale ».

— Infortuné monarque, s'écria Redoux en sanglotant, oh ! comme je te comprends ! comme tu dus souffrir ! — Mais on t'avait, dès l'enfance, égaré ! Tu fus la victime d'une nécessité des temps. Comme je te plains, du fond du cœur ! Un père de famille… en comprend un autre !… Ton forfait ne fut que d'être roi… Mais, après tout, moi, JE FUS BIEN MAIRE ! (Et le trop compatissant bourgeois, un peu hagard, ajoutait d'une voix hoquetante et avec le geste de soutenir quelqu'un : — Allons, sire, du courage !… Nous sommes tous mortels… Que Votre Majesté daigne…)

Puis, regardant la planche et la faisant basculer :

— Dire qu'il s'est allongé là-dessus !… murmurait l'excellent homme. — Oui, nous étions, à peu près, de même taille, paraît-il : — et il avait mon embonpoint.

« C'est encore solide, c'est bien établi. Oh ! quelles furent, quelles durent être, veux-je dire, ses suprêmes pensées, une fois couché sur cette planche !… En trois secondes, il a dû réfléchir à… des siècles !

« Voyons ! M. Sanson n'est pas là : si je m'étendais — rien qu'un peu — pour savoir… pour tâcher d'éprouver… moralement…

Ce disant, le digne M. Redoux, prenant une expression résignée, quasi-sublime, s'inclina, doucement d'abord, puis, peu à peu, se coucha sur la bascule invitante : si bien qu'il pouvait contempler l'orbe distendu des deux croissants concaves, largement entrebâillés, du carcan.

— Là! restons là! dit-il, et méditons. Quelles angoisses il dut ressentir!

Et il s'épongeait les yeux, de son mouchoir.

La planche formait rallonge, sur un plan incliné vers
les montants. Redoux, pour s'y installer plus commodément, fit un léger haut-le-corps qui amena, glissante,
cette planche, jusqu'au bord du carcan. De telle sorte
que, ce hasard le favorisant encore, l'ancien maire se
trouva, tout doucement, le col appuyé sur la demi-lune
inférieure.

— Oui! pauvre roi, je te comprends et je gémis!
grommelait le bon M. Redoux. Et il m'est consolant de
songer qu'une fois ici tu ne souffris plus longtemps!

A ce mot, et comme il faisait un mouvement pour se
relever, il entendit, à son oreille droite, un bruit sec et
léger. Crrrick! C'était la demi-lune supérieure qui, secouée par l'agitation du contribuable, était venue, glissante aussi, s'emboîter sans doute en son ressort, emprisonnant, par ainsi, la tête de l'ex-fonctionnaire.

L'honorable M. Redoux, à cette sensation, se mut, à
tort et à travers; mais en vain: la chose avait fait souricière. Ses mains tâtaient les montants, — mais, où trouver le secret pour se libérer?

Chose singulière, ce petit incident le dégrisa, tout à
coup. Puis, sans transition, sa face devint couleur de
plâtre et son sang parcourut ses artères avec une horrible
rapidité; ses yeux, à la fois éperdus et ternes, roulaient,
comme sous l'action d'un vertige et d'une horreur folle;
agité d'un tremblement, son corps glacé se raidissait; ses
dents claquaient. En effet, troublé par sa lourde attaque
de phantasmomanie, il s'était persuadé que, *M. Sanson
n'étant pas là,* nul danger n'était à craindre. Et voici qu'il
venait de songer qu'à sept pieds au-dessus de son faux-
col et enchâssé en un poids de cent livres était suspendu
le couteau; que le bois était rongé des vers, que les ressorts étaient rouillés, et qu'en palpant ainsi, au hasard,
il s'exposait à toucher le bouton qui fait tomber la
chose!

Alors — sa tête s'en irait rouler aux pieds de cire de tous les fantômes qui, maintenant, lui semblaient une sorte d'assistance approbatrice ; car les reflets du fanal, en vacillant sur toutes ces figures, en vitalisaient l'impassibilité. On l'observait ! Cette foule aux yeux fixes paraissait attendre. — « A moi ! » râla-t-il ; — et il n'osa recommencer, se disant, dans l'excès de ses affres, que la seule vibration de sa voix pouvait suffire pour... Et cette idée fixe ravinait son front livide, tirait ses bonnes bajoues généreuses ; des fourmillements lui couraient sur le crâne, car, en ce noir silence et devant la hideuse absurdité d'un tel décès, ses cheveux et sa barbe commençaient graduellement à blanchir (les condamnés, durant l'agonie de la toilette, ont offert, maintes fois, ce phénomène). Les minutes le vieillissaient comme des jours. A un craquement subit du bois, il s'évanouit. Au bout de deux heures, comme il revenait à lui, le froid sentiment de sa situation lui fit savourer un nouveau genre d'intime torture, jusqu'au moment où le soudain grattement d'une souris lui causa une syncope définitive.

Au rouvrir des yeux, il se trouva, demi-nu, en un fauteuil du musée, entouré de garçons et d'ouvriers qui le frottaient de linges chauds, lui faisaient respirer de l'alcali, du vinaigre, lui frappaient dans les mains.

— Oh !... balbutia-t-il, d'un air égaré, à la vue de la guillotine sur l'estrade.

Une fois un peu remis, il murmura :

— Quel rêve ! oh ! la nuit — sous... l'épouvantable couteau !

Puis, en quelques paroles, il ébaucha une histoire : « Mû par la curiosité, il avait voulu *voir :* la planche avait glissé, le carcan l'avait saisi — et... il s'était trouvé mal. »

— Mais, monsieur, lui répondit le garçon du musée, — (le même qui l'avait épousseté la veille), — vous vous êtes alarmé sans motif.

— Sans motif !!... articula péniblement Redoux, la gorge encore serrée.

— Oui : le carcan n'a pas de ressort et ce sont les coins, en se touchant, qui ont produit le bruit ; en vous y prenant bien, vous pouviez le soulever — et, quant au couteau...

Ici le garçon, montant sur l'estrade, enleva, du bout d'une perche, la housse vide :

— Il y a deux jours qu'on l'a porté à revisser.

A ces paroles, M. Redoux, se redressant sur ses jambes, et s'affermissant, regarda, bouche béante.

Puis, s'apercevant dans une glace, lui, vieilli de dix années, — il donna, en silence, avec des larmes cette fois sincères, trois guinées à ses libérateurs.

Cela fait, il prit son chapeau et quitta le musée.

Une fois dans la rue, il se dirigea vers l'hôtel, y prit sa valise. — Le soir même, à Paris, il courut se faire teindre, rentra chez lui — et ne souffla jamais un mot de son aventure.

Aujourd'hui, dans la haute position qu'il occupe à l'une des Chambres, il ne se permet plus un seul écart du régime qu'il suit contre sa tendance au phantasme.

Mais l'honorable *leader* n'a pas oublié sa nuit lamentable.

Il y a quatre ans environ, comme il se trouvait dans un salon neutre, au milieu d'un groupe où l'on commentait les doléances de certains journaux sur le décès d'un royal exilé [138], l'un des membres de l'extrême-droite prononça tout à coup les excessives paroles suivantes — car tout se sait ! — en regardant au blanc des yeux l'ex-maire de la localité du Centre :

— « Messieurs, croyez-moi ; les rois, même défunts, ont une manière... parfois bien dédaigneuse... de châtier les farceurs qui osent s'octroyer l'hypocrite jouissance de les plaindre ! »

A ces mots, l'honorable M. Redoux, en homme éclairé, sourit — et changea la conversation.

L'HÉROISME DU DOCTEUR HALLIDONHILL

A Monsieur Louis-Henry May [139].

Tuer pour guérir !
Adage officiel de BROUSSAIS [140].

L'insolite cause du docteur Hallidonhill va venir prochainement aux assises de Londres. Voici les faits :

Le 20 mai dernier, les deux vastes antichambres de l'illustre spécialiste, du curateur *quand même* de toutes les affections de la poitrine, regorgeaient de clients, comme d'habitude, leurs tickets d'ordre à la main.

A l'entrée se tenait, en longue redingote noire, l'essayeur de monnaies : il recevait de chacun les deux guinées de rigueur, les éprouvait, d'un seul coup de marteau, sur une enclume de luxe, criant *All right!* automatiquement.

Dans le cabinet vitré, — borduré, tout alentour, de grands arbustes des tropiques en leurs vastes pots du Japon, — venait de s'asseoir, devant sa table, le rigide petit docteur Hallidonhill. A ses côtés, auprès d'un guéridon, son secrétaire sténographiait de brèves ordonnances. Au montant d'une porte veloutée de rouge, à clous d'or, un valet de monstrueuse encolure se dressait, ayant pour office de transporter, l'un après l'autre, les chancelants pulmonaires sur le palier de sortie, — d'où les descendait, en fauteuils spéciaux, l'ascenseur (ceci dès que le sacramentel « A un autre ! » était prononcé).

Les consultants entraient, l'œil vitreux et voilé, le torse nu, les vêtements sur le bras ; ils recevaient, à l'instant, au dos et sur la poitrine, l'application du plessimètre [141] et du tube :

— Tik ! tik ! plaff ! Respirez !... Plaff !... Bien.

Suivait une médication dictée en quelques secondes, puis le fameux « A un autre ! »

Et, depuis trois années, chaque matin, la procession défilait ainsi, banale, de neuf heures à midi précis.

Soudain, ce jour-là, 20 mai, neuf heures sonnant, voici qu'une sorte de long squelette, aux prunelles évoluantes, aux creux des joues se touchant sous le palais, le torse nu, pareil à une cage entortillée de parchemin flasque, soulevée par l'anhélation [142] d'une toux cassée, — bref, un douteux vivant, une fourrure de renard bleu ployée sur l'un de ses décharnés avant-bras, allongea le compas de ses fémurs dans le cabinet doctoral, en se retenant de tomber aux longues feuilles des arbustes.

— Tik! tik! plaff! Rien à faire! grommela le docteur Hallidonhill: suis-je un coroner bon à constater les décès? Vous expumerez [143], sous huit jours, le suprême champignon de ce poumon gauche: et le droit est une écumoire!... — A un autre!

Le valet allait «enlever le client», lorsque l'éminent thérapeute, se frappant le front, ajouta brusquement, avec un sourire complexe:

— Êtes-vous riche?

— Ar-chi-mil-lionnaire! râla, tout larmoyant, l'infortuné personnage qu'Hallidonhill venait de congédier si succinctement de la planète.

— Alors, que votre carrosse-lit vous dépose à Victoria station! Express de onze heures pour Douvres! Puis le paquebot! Puis, de Calais à Marseille, sleeping-car avec poêle! Et à Nice! — Là, six mois de cresson, jour et nuit, sans pain, ni vins, ni fruits, ni viandes. Une cuiller d'eau de pluie bien iodée tous les deux jours. Et cresson, cresson, cresson! pilé, broyé, en son jus: — seule chance... et encore! Ce prétendu curatif, dont on me rebat les oreilles, me paraissant plus qu'absurde, je l'offre à un désespéré, mais sans y croire une seconde [144].

Enfin, tout est possible... — A un autre!

Le crésus phtisique une fois posé délicatement dans le retrait capitonné de l'ascenseur, la procession normale des pulmonaires, scorbutiques et bronchiteux, commença.

Six mois après, le 3 novembre, neuf heures sonnant,

une espèce de géant à voix formidable et joyeuse — dont
le timbre fit vibrer le vitrage du cabinet de consultations
et frémir les feuilles des plantes tropicales, un joufflu
colosse, en riches fourrures, s'étant rué, bombe humaine,
à travers les rangs lamentables de la clientèle du docteur
Hallidonhill, pénétra, sans ticket, jusque dans le *sanctum*
du prince de la Science, lequel, froid, en son habit noir,
venait, comme toujours, de s'asseoir devant sa table. Le
saisissant à bras le corps, il l'enleva comme une plume et,
baignant, en silence, de pleurs attendris, les deux joues
blêmes et glabres du praticien, les baisa et rebaisa d'une
façon sonore, en manière de paradoxale nourrice nor-
mande ; puis le reposa, comateux et presque étouffé, en
son fauteuil vert.

— Deux millions ? Les voulez-vous ? En voulez-vous
trois ? vociférait le géant, réclame terrible et vivante.
— Je vous dois le souffle, le soleil, les bons repas,
les effrénées passions, la vie, tout ! Réclamez donc
de moi des honoraires inouïs : j'ai soif de reconnaissance !

— Ah çà, quel est ce fou ? Qu'on l'expulse !... articula
faiblement le docteur après un moment de prostration.

— Mais non, mais non ! gronda le géant avec un coup
d'œil de boxeur qui fit reculer le valet. Au fait, je comprends que vous, mon sauveur même, vous ne me recon-
naissiez pas. Je suis l'homme au cresson ! le squelette
fini, perdu ! Nice ! le cresson, cresson, cresson ! J'ai fait
mon semestre, et voilà votre œuvre. Tenez, écoutez
ceci !

Et il se tambourinait le thorax avec des poings capables
de briser le crâne aux plus primés des taureaux du
Middlessex.

— Hein ! fit le docteur en bondissant sur ses pieds,
— vous êtes... Quoi ! c'est là le moribond qui...

— Oui, mille fois oui, c'est moi ! hurlait le géant :
— Dès hier au soir, à peine débarqué, j'ai commandé
votre statue en bronze, et je saurai vous faire décerner un
terrain funèbre à Westminster !

Se laissant tomber sur un vaste sopha dont les ressorts
craquèrent et gémirent :

— Ah! que c'est bon, la vie! soupira-t-il avec le béat
sourire d'une placide extase.

Sur deux mots rapides, prononcés à voix basse par le
docteur, le secrétaire et le valet se retirèrent. Une fois
seul avec son ressuscité, Hallidonhill, compassé, blafard
et glacial, l'œil nerveux, regarda le géant, durant quelques instants, en silence; — puis, tout à coup:

— Permettez, d'abord, murmura-t-il d'un ton bizarre,
que je vous ôte cette mouche de la tempe!

Et, se précipitant vers lui, le docteur, sortant de sa
poche un court revolver *bull-dog*, le lui déchargea deux
fois, très vite, sur l'artère temporale gauche.

Le géant tomba, la boîte osseuse fracassée, éclabous-
sant de sa cervelle reconnaissante le tapis de la pièce,
qu'il battit de ses paumes une minute.

En dix coups de ciseau, witchûra [145], vêtements et
linge, au hasard tranchés, laissèrent à nu la poitrine,
— que le grave opérateur, d'un seul coup de son large
bistouri chirurgical, fendit, incontinent, de bas en haut.

Un quart d'heure après, lorsque le constable entra dans
le cabinet pour prier le docteur Hallidonhill de vouloir
bien le suivre, celui-ci, calme, assis devant sa table, une
forte loupe en main, scrutait une paire d'énormes poumons, géminés, à plat, sur son sanguinolent pupitre. Le
génie de la Science essayait, en cet homme, de se rendre
compte de l'archi-miraculeuse action cressonnière, à la
fois lubréfiante et recréatrice.

— Monsieur le constable, a-t-il dit en se levant, j'ai
jugé opportun d'immoler cet homme, son autopsie immédiate pouvant me révéler un secret salutaire pour le
dégénérescent arbre aérien de l'espèce humaine: c'est
pourquoi je n'ai pas hésité, je l'avoue, A SACRIFIER, ICI,
MA CONSCIENCE... A MON DEVOIR.

Inutile d'ajouter que l'illustre docteur a été relaxé sous
caution purement formelle, sa liberté nous étant plus utile
que sa détention. Cette étrange affaire va maintenant
venir aux assises britanniques. Ah! quelles merveilleuses
plaidoiries l'Europe va lire!

Tout porte à espérer que ce sublime attentat ne vaudra
pas à son héros la potence de Newgate, les Anglais étant

gens à comprendre, tout comme nous, *que l'amour exclusif de l'Humanité future, au parfait mépris de l'Individu présent, est, de nos jours, l'unique mobile qui doive innocenter, quand même, les magnanimes outranciers de la Science.*

LES AMANTS DE TOLÈDE

A Monsieur Emile Pierre [146].

Il eût donc été juste que Dieu condamnât
l'Homme au Bonheur?
*Une des réponses de la Théologie romaine à
l'objection contre la Tache-originelle.*

Une aube orientale rougissait les granitiques sculptures, au fronton de l'Official [147], à Tolède — et, entre toutes, le *Chien-qui-porte-une-torche-enflammée-dans-sa-gueule,* armoiries du Saint-Office.

Deux figuiers épais ombrageaient le portail de bronze : au-delà du seuil, de quadri-latérales marches de pierre exsurgeaient [148] des entrailles du palais, — enchevêtrement de profondeurs calculées sur de subtiles déviations du sens de la montée et de la descente. — Ces spirales se perdaient, les unes dans les salles de conseil, les cellules des inquisiteurs, la chapelle secrète, les cent soixante-deux cachots, le verger même et le dortoir des familiers [149]; — les autres, en de longs corridors, froids et interminables, vers divers retraits... — des réfectoires, la bibliothèque.

En l'une de ces chambres, — dont le riche ameublement, les tentures cordouanes, les arbustes, les vitraux ensoleillés, les tableaux, tranchaient sur la nudité des autres séjours, — se tenait debout, cette aurore-là, les pieds nus sur des sandales, au centre de la rosace d'un tapis byzantin, les mains jointes, les vastes yeux fixes, un maigre vieillard, de taille géante, vêtu de la simarre blanche à croix rouge, le long manteau noir aux épaules, la barrette noire sur le crâne, le chapelet de fer à la ceinture. Il paraissait avoir passé quatre-vingts ans [150]. Blafard, brisé de macérations, saignant, sans doute, sous le cilice invisible qu'il ne quittait jamais, il considérait une alcôve où se trouvait, drapé et festonné de guirlandes, un lit opulent et moelleux. Cet homme avait nom Tomas de Torquemada [151].

Autour de lui, dans l'immense palais, un effrayant silence tombait des voûtes, silence formé des mille souffles sonores de l'air que les pierres ne cessent de glacer.

Soudain, le Grand-Inquisiteur d'Espagne tira l'anneau d'un timbre que l'on n'entendit pas sonner. Un monstrueux bloc de granit, avec sa tenture, tourna dans l'épaisse muraille. Trois familiers, cagoules baissées, apparurent — sautant hors d'un étroit escalier creusé dans la nuit, — et le bloc se referma. Ceci dura deux secondes, un éclair ! Mais ces deux secondes avaient suffi pour qu'une lueur rouge, réfractée par quelque souterraine salle, éclairât la chambre ! et qu'une terrible, une confuse rafale de cris si déchirants, si aigus, si affreux, — qu'on ne pouvait distinguer ni pressentir l'âge ou le sexe des voix qui les hurlaient, — passât dans l'entrebâillement de cette porte, comme une lointaine bouffée d'enfer.

Puis, le morne silence, les souffles froids, et, dans les corridors, les angles de soleil sur les dalles solitaires qu'à peine heurtait, par intervalles, le claquement d'une sandale d'inquisiteur.

Torquemada prononça quelques mots à voix basse.

L'un des familiers sortit, et, peu d'instants après, entrèrent, devant lui, deux beaux adolescents, presque enfants encore, un jeune homme et une jeune fille, — dix-huit ans, seize ans, sans doute. La distinction de leurs visages, de leurs personnes, attestait une haute race, et leurs habits — de la plus noble élégance, éteinte et somptueuse — indiquaient le rang élevé qu'occupaient leurs maisons. L'on eût dit le couple de Vérone transporté à Tolède : Roméo et Juliette !... Avec leur sourire d'innocence étonnée, — et un peu roses de se trouver ensemble, déjà, — tous deux regardaient le saint vieillard.

— « Doux et chers enfants », dit, en leur imposant les mains, Tomas de Torquemada, — « vous vous aimiez depuis près d'une année (ce qui est longtemps à votre âge), et d'un amour si chaste, si profond, que tremblants, l'un devant l'autre, et les yeux baissés à l'église, vous n'osiez vous le dire. C'est pourquoi, le sachant, je vous ai fait venir ce matin, pour vous unir en mariage, ce qui est accompli. Vos sages et puissantes familles sont prévenues que vous êtes deux époux et le palais où vous êtes attendus est préparé pour le festin de vos noces. Vous y serez bientôt, et vous irez vivre, à votre rang, entourés plus tard, sans doute, de beaux enfants, fleur de la chrétienté.

« Ah ! vous faites bien de vous aimer, jeunes cœurs d'élection ! Moi aussi, je connais l'amour, ses effusions, ses pleurs, ses anxiétés, ses tremblements célestes ! C'est d'amour que mon cœur se consume, car l'amour, c'est la loi de la vie ! c'est le sceau de la sainteté. Si donc, j'ai pris sur moi de vous unir, c'est afin que l'essence même de l'amour, qui est le bon Dieu seul, ne fût pas troublée, en vous, par les trop charnelles convoitises, par les concupiscences, hélas ! que de trop longs retards dans la légitime possession l'un de l'autre entre les fiancés peuvent allumer en leurs sens. Vos prières allaient en devenir distraites ! La fixité de vos songeries allait obscurcir votre pureté natale ! Vous êtes deux anges qui, pour se souvenir de ce qui est RÉEL en votre amour, aviez soif, déjà, de l'apaiser, de l'émousser, d'en épuiser les délices !

« Ainsi soit-il ! — Vous êtes ici dans la Chambre du Bonheur : vous y passerez seulement vos premières heures conjugales, puis, me bénissant, je l'espère, de vous avoir ainsi rendus à vous-mêmes, c'est-à-dire à Dieu, vous retournerez, dis-je, vivre de la vie des humains, au rang que Dieu vous assigna. »

Sur un coup d'œil du Grand-Inquisiteur, les familiers, rapidement, dévêtirent le couple charmant, dont la stupeur — un peu ravie — n'opposait aucune résistance. Les ayant placés vis-à-vis l'un de l'autre, comme deux juvéniles statues, ils les enveloppèrent très vite l'un contre l'autre de larges rubans de cuir parfumé qu'ils serrèrent doucement, puis les transportèrent, étendus, appliqués cœur auprès du cœur et lèvres sur lèvres, — bien assujettis ainsi, — sur la couche nuptiale, en cette étreinte qu'immobilisaient subtilement leurs entraves. L'instant d'après, ils étaient laissés seuls, à leur intense joie — qui ne tarda pas à dominer leur trouble — et si grandes furent alors les délices qu'ils goûtèrent, qu'entre d'éperdus baisers ils se disaient tout bas :

— Oh ! si cela pouvait durer l'éternité !...

Mais rien, ici-bas, n'est éternel, — et leur douce étreinte, hélas ! *ne dura que quarante-huit heures.*

Alors des familiers entrèrent, ouvrirent toutes larges les fenêtres sur l'air pur des jardins : les liens des deux amants furent enlevés, un bain, qui leur était indispensable, les ranima, chacun dans une cellule voisine. — Une fois rhabillés, comme ils chancelaient, livides, muets, graves et les yeux hagards, Torquemada parut et l'austère vieillard, en leur donnant une suprême accolade, leur dit à l'oreille :

— Maintenant, mes enfants, que vous avez passé par la dure épreuve du Bonheur, je vous rends à la vie et à votre amour, car je crois que vos prières au bon Dieu seront désormais moins distraites que par le passé.

Une escorte les reconduisit donc à leur palais tout en fête : on les attendait ; ce furent des rumeurs de joie !...

Seulement, pendant le festin de noces, tous les nobles convives remarquèrent, non sans étonnement, entre les deux époux, une sorte de gêne guindée, d'assez brèves paroles, des regards qui se détournaient, et de froids sourires.

Ils vécurent, presque séparés, dans leurs appartements personnels, et moururent sans postérité, — car, s'il faut tout dire, ils ne s'embrassèrent jamais plus — de peur...
DE PEUR QUE CELA NE RECOMMENÇAT !

CE MAHOIN !

A Monsieur Louis Welden Hawkins [152].

Un horripilant cauchemar.
EDGAR ALLAN POE.

Ah ! ce Mahoin [153] ! L'hybride et fangeux brigand ! Le
tragique et retors malvat [154] ! Un rôdeur de routes, une
face de crime, à reflets ternes, couleur de couteau sale :
l'air d'un gros mauvais prêtre, moins la défroque : et gare
à ce qu'il rencontrait ! — Échanger une parole avec son
grouïnement [155] de ragot [156] féroce portait malheur aux
campagnards ; — c'était, à leur estime, un fauteur de
sécheresses, d'épizooties, de brûlis. Son horrible vigueur
musculaire faisait qu'on lui souriait, sur les chemins,
dans la campagne belge des environs d'Ixelles [157] ; cependant — (et il le savait, d'instinct !) — les plus débon-
naires des maîtres d'école, les plus bénins des médecins
de villages, souhaitaient, à sa rencontre, en deçà de leurs
sourires, que les vieux tortionnaires inoubliés de l'occu-
pation espagnole sortissent une fois de leur séculaire et
poudroyant repos pour épuiser, sur son ignoble individu,
les ressources de leur art. — La nomenclature des forfaits
de ce Mahoin défrayait les veillées et, comme la plupart
des gendarmes belges renonçaient à le surprendre hors de
ses repaires inconnus, le scélérat, terreur du pauvre et du
riche, faisait trembler, à vingt lieues à la ronde, chau-
mières, couvents, maisons de plaisance et châteaux.
— De très jeunes filles, bourgeoises et villageoises, en
crise de puberté, le désiraient, — entre autres envies
morbides, — quittes à s'étonner, une fois muées, de tout
ce nauséeux amas d'appétits dont elles s'étaient senties
tourmentées. Seulement, le monstre avait conscience
exacte de ces crises, qu'il guettait. Et, donc, il s'était
diverti, depuis dix ans, dans les fossés, dans les bois,

dans les luzernes, avec une trentaine, à peu près, de ces infortunées. L'on comptait, également, à son acquit, une forte douzaine de meurtres, commis avec des circonstances de barbarie surprenantes, d'une hideur inouïe ; des effractions d'une audace hors ligne, d'innombrables larcins — des viols de différents genres, d'une luxure à ce point révoltante que le huis clos même en eût peut-être refusé les révélations (bien qu'il soit de notoriété que, par tous les pays, la magistrature est friande, en général, de récits égrillards) ; enfin, — et c'est ce qui fit déborder la coupe de la fureur publique, — des détournements continuels de vases sacrés, opérés avec bris de tabernacles, strangulation des bedeaux, — suivie de profanations exercées sur leurs cadavres ; — etc.

Cet état de choses ne pouvait durer : nous l'avons dit, la mesure était comble : il fallait en finir. Une battue sérieuse, avec accompagnement de dogues, de fourches et de carabines, fut organisée et, — de concert avec la gendarmerie, — l'on fut assez heureux pour capturer, dans la grange d'une ferme incendiée, entre deux cultivateurs carbonisés, l'affreux Mahoin : ceci au moment même où il se disposait à consommer, au milieu de fenaisons, sur la personne d'une enfant de trois ans et demi à peine, le plus odieux des attentats.

Il fallut six des plus vigoureux gendarmes du pays pour maintenir et ligoter la grondante bête puante, puis la jeter dans une charrette et la porter ensuite au fond d'un cachot de la prison d'Ixelles.

L'instruction ne fut pas longue : — les assises le furent moins encore : ce Mahoin, comme bien on le pense, fut condamné au dernier supplice, — haut la main, presque sommairement ! — et le recours en grâce dûment jeté au panier par Qui de droit : tout cela va sans dire.

Jusqu'ici, j'en conviens, rien de bien extraordinaire : — mais il se passa, le jour de l'exécution capitale, un incident dont la bizarrerie, peu commune, mérite mention.

Aux termes de l'arrêt, la guillotine, sur son grand échafaud, devait être dressée sur la place foraine d'Ixelles.

Or, grâce à la courtoisie du parquet flamand, le jour précis de l'exécution fut connu bien à l'avance : on en finirait vers les sept heures du matin.

En sorte que, le renom du scélérat s'étant répandu dès longtemps à travers la contrée, il se trouva que, de toutes parts, les routes furent encombrées d'une énorme affluence de curieux, de paysans, de bourgeois, de commerçants des deux sexes, suivis de leurs enfants : l'on marcha toute la nuit aux environs d'Ixelles — comme si l'on se fût rendu à une sorte de fête nationale. On voulait voir comment il se tiendrait, le front qu'il aurait. — Et puis, l'on respirerait plus à l'aise de l'avoir vu périr. Rien ne coûte à la vindicte de la foule une fois parvenue à cette effervescence : aussi tous les propriétaires des maisons environnant la place firent d'excellentes affaires cette nuit-là. Comme il pleuvait un peu (c'était, je crois, en octobre), tous les greniers, toutes les mansardes, sous ces grands toits charpentés et ardoisés en pente raide, furent loués tant la place à des milliers d'individus qui s'y tassèrent, debout, et demeurèrent ainsi jusqu'au matin, dans l'obscurité, en causant, coude à coude, — pressés, osons le dire, comme de véritables harengs, — sous les poutres des toits.

Dehors, sur la grand-place, c'était un niveau remuant d'environ quinze mille têtes ; — à grand-peine une triple haie de troupes protégeait le libre parcours de la charrette jusqu'au pied de l'échafaud.

Les heures passèrent : le petit jour parut, blanchit les murs, puis le brumeux soleil se leva. Toutes les fenêtres étaient garnies de figures au point que, derrière celles-ci, les gens ayant étagé des chaises, d'autres figures montaient jusqu'aux cintres et que des mains s'accrochaient aux grosses tringles des rideaux enlevés, aux corniches des murs, ceci du haut en bas des maisons.

Enfin, sept heures sonnèrent : et le cri : *le voilà ! le voilà !* retentit : une grommelante rumeur de houle s'éleva de toute la place.

C'était *lui,* en effet, sur le banc de la charrette, à côté du prêtre qu'il n'écoutait pas.

Solidement ficelé de garcettes, les bras au dos, tête rase, cou nu, blafard, il regardait.

Devant et derrière le véhicule, un piquet de gendarmes faisait escorte.

Deux aides l'attendaient, au pied de l'échafaud, pour l'aider à gravir les douze marches ; — l'exécuteur était debout devant la planche, bras croisés.

Mahoin considéra d'un œil d'abord hébété l'ensemble de la place ; puis il éclata d'un rire presque inquiétant, qui s'entendit au loin, dans le silence, et vibra, faisant tressaillir les nerfs de la foule. Mais le rire s'arrêta brusquement ! Le condamné venait, en relevant les yeux, d'apercevoir un spectacle qui l'étonnait lui-même — et qu'il ne pouvait, sans doute, s'expliquer en ce moment trouble.

Sur les pentes presque perpendiculaires des toitures, criblant la longueur totale de leurs dimensions, l'ardoiserie venait d'être soulevée et arrachée. Et, à travers les milliers de trous superposés, voici que des milliers de têtes de décapités parlants apparaissaient, roulant leurs yeux vers la place et rendant son regard au bandit — sans qu'il fût, tout d'abord, possible de comprendre *où pouvaient bien être les corps appartenant à ces têtes*.

C'était, — le lecteur l'a déjà deviné, — la multitude des curieux qui avaient passé la nuit dans les mansardes et les greniers. Aussitôt que, par les lucarnes, leur fut parvenue la clameur d'en bas, tous, d'un commun accord, avaient levé les poings et fait sauter les ardoises — puis, s'agrippant et se suspendant aux poutres qui en craquèrent, ils avaient passé leurs têtes au-dehors, afin de voir ! afin de voir !...

Or, devant cette quantité de têtes, qu'éclairait le brouillard en feu et qui guettaient le tomber de la sienne, les yeux du patient s'agrandirent : — en un grave silence, affolé peut-être, il considéra, dans les airs d'alentour, en frissonnant, cette mouvante assemblée incorporelle de faces sinistres, — avec une stupeur telle... *qu'il fut décapité bouche béante.*

Ce Mahoin !

L'AGRÉMENT INATTENDU

A Monsieur Stéphane Mallarmé [158].

Je dirai : j'étais là ; telle chose m'avint,
vous y croirez être vous-même !

LA FONTAINE, *Les Deux Pigeons*.

Sur cette route méridionale aux poudroiements embrasés, sous le pesant soleil des canicules, je marchais, en complet blanc, sous un vaste chapeau de paille, ayant à l'épaule ce bâton du touriste auquel se nouait un petit sac de linge. Depuis trois heures de fatigue, pas une hôtellerie, pas un voyageur, pas une silhouette humaine. Tourmenté par la soif, pas une source, sous les bouquets de lentisques courts et secs des fossés vicinaux — et la plus prochaine ville, où je comptais m'arrêter une couple de jours, se trouvait distante de plus de quatre heures encore! — Au moment donc où j'allais, en vérité, concevoir quelque inquiétude sur l'heureuse issue de mon étape, voici qu'au coude sinueux du grand chemin, j'entrevis, à quelque cent mètres, une maison blanche, isolée, aux contrevents fermés : une touffe de houx, appendue en travers au-dessus de la porte, m'indiquait une auberge.

A l'aspect de cette oasis, je pressai le pas; vite, j'arrivai; je montai les deux pierres du seuil et fis jouer le loquet. J'entrai; la porte se referma seule, derrière moi.

Ébloui par les miroitements de la route, je ne distinguai rien, tout d'abord, dans la demi-obscurité; mais j'éprouvai, d'autour de moi, la sensation d'une fraîcheur délicieuse que parfumaient des senteurs d'herbes odoriférantes.

Après deux ou trois clins de paupières, je me reconnus en une vaste salle, où m'apparurent des tables désertes, avec leurs bancs. A droite, et bien au fond, dans l'angle, assis à une manière de comptoir, l'hôtelier, face farouche, au poil roux, — l'encolure d'un taureau, — me regardait. Je jetai mon bâton sur une table, posai mon chapeau sur le paquet, puis m'assis et m'accoudai, me tamponnant le front de mon mouchoir.

— De votre vieux cru et de l'eau fraîche! demandai-je.

Et je me remis à songer, en considérant d'assez beaux lauriers-roses plantés en de gros vases peinturlurés, aux encoignures des fenêtres.

— Voici! me dit bientôt l'hôtelier en venant placer auprès de moi la bouteille, la carafe et le verre.

Comme je buvais :

— Monsieur est artiste? murmura-t-il en m'examinant, et d'une voix qu'il essayait en vain d'adoucir.

J'inclinai vaguement la tête pour lui complaire et briser là; mais il reprit :

— Et, sans doute, alors, monsieur voyage dans le Midi... pour voir les curiosités?

Nouveau mouvement de tête affirmatif, de ma part, mais, cette fois, en envisageant mon homme.

— Ah?... dit-il. — Eh bien! je puis vous en montrer une, de curiosité, moi, monsieur, si vous voulez... et pas loin d'ici! Et qui vaut la peine d'être vue! Quant au salaire, ce que monsieur voudra.

Je l'avoue, j'étais pris par mon faible.

— Une curiosité!... Soit : voyons! lui dis-je.

En un bond de plantigrade, et d'un air sournois, il s'en alla donner un tour de clef à la porte, s'en fut à son comptoir allumer une lanterne sourde, puis, taciturne, revint à moi, sa lueur à la main, me regardant. — Soudain, il se baissa brusquement, saisit, presque sous mes pieds, l'anneau d'une trappe de cave, souleva la planche et, m'indiquant de terreuses marches apparues :

— Descendons! décréta-t-il : c'est là-dessous; ne me demandez pas ce que c'est, monsieur! c'est une surprise.

Comme on le pense bien, je ne me le fis pas dire deux fois. — Une «curiosité»!... Chose trop rare, en vérité, pour se refuser à la rencontrer — peut-être!... Et puis, *là-dessous?*... — Que diable pouvait-il y avoir ?

La tentation, l'on en conviendra, n'était pas banale. Je me levai donc, très intrigué.

Une brève observation de mon guide me fit comprendre que je devais descendre le premier, — la lumière placée, à bout de bras, au-dessus et en avant de ma tête, éclairerait, par ainsi, beaucoup mieux la descente, — « qui ne présentait, d'ailleurs, aucune difficulté », ajouta-t-il.

Silencieusement, nous nous enfonçâmes donc sous terre, lui m'éclairant, de la sorte, à travers d'interminables tournantes marches, moi, tâtant des deux mains les parois des murs. A la quarante-deuxième marche, comme j'allais demander combien il en restait encore à descendre avant la « surprise », une forte main s'abattit sur mon épaule. En même temps s'allongeait le bras tenant la lanterne au-devant de mon front, et j'entendis mon guide me dire, à l'oreille, en un murmure assez analogue au rauquement d'un ours :

— Hein ?... Regardez-moi ça, m'sieur ?

O subit panorama, tenant du rêve ! Je voyais se prolonger, — presque à perte de vue, — au-devant de moi, de très hautes voûtes souterraines, aux stalactites scintillantes, aux profondeurs qui renvoyaient, avec mille réfractions de diamants, en des jeux merveilleux, les lueurs, devenues d'or, de la lanterne sourde : — et, s'étendant à mes pieds, sous ces voûtes, une sorte de lac immense d'un bleu très sombre, où ces mêmes lueurs tremblaient, illusions d'étoiles ! — une eau claire, polie, dormante, à reflets d'acier, où se réfléchissaient, démesurées, nos deux ombres. C'était superbe et inattendu.

Je demeurai comme charmé, durant près d'une demi-minute, à contempler ce féerique spectacle... Me sentant bien asséché de la route, j'éprouvai, malgré moi, — je l'avoue, — une attirance vers le ténébreux enchantement de cette onde ! Sans mot dire, je me dévêtis, posai mes vêtements à côté de moi, presque au niveau de l'étang, et, ma foi, — m'y aventurant à corps perdu, — j'y pris un bain délicieux, — éclairé par la complaisance de l'hôtelier, qui me considérait d'un air de stupeur soucieuse, concentrée même... car, vraiment, à présent que j'y songe, il avait des expressions de figure incompréhensibles, ce brave homme.

Une fois rhabillé, nous remontâmes tranquillement. Je le précédais encore. La pente des degrés étant assez rude, je dus faire halte plusieurs fois, — ne tarissant pas en louanges enthousiastes sur cette « curiosité ».

De retour dans la salle, je lui remis une pièce de cinq francs ; et, après un bon merci, un bon frappement de ma main sur son épaule, — accompagné d'un coup d'œil appuyé... mais, là, ce qui s'appelle dans le blanc des yeux, —je courus me réchauffer, derechef, au soleil brûlant de la route. Et, pour conclure, j'accomplis mon étape d'un pied raffermi et joyeux, l'agrément imprévu de ce bain m'ayant inespérément pénétré de nouvelles forces.

CONTE DE FIN D'ÉTÉ

A Monsieur René Baschet [159].

Comment la chaîne des êtres créés
se briserait-elle à l'Homme?

Les Platoniciens du XIIe siècle [160].

En province, au tomber du crépuscule sur les petites villes, — vers les six heures, par exemple, aux approches de l'automne, — il semble que les citadins cherchent de leur mieux à s'isoler de l'imminente gravité du soir : chacun rentre en son coquillage au pressentiment de tout ce danger d'étoiles qui pourrait induire à « penser ». — Aussi, le singulier silence qui se produit alors paraît-il émaner, en partie, de l'atonie compassée des figures sur les seuils. C'est l'heure où l'écrasis criard des charrettes va s'éteignant du côté des routes. — A présent, aux promenades, — « cours des *Belles-Manières* » — bruit, plus distinctement, par les airs, sur l'isolement des quinconces, le frisson triste des hautes feuillées. Au long des rues s'échangent, entre ombres, des saluts rapides, comme si le retour à de banals foyers compensait les lourds moments (si vainement lucratifs !) de la journée vécue. Et, des reflets ternes de la brune sur les pierres et les vitres, de l'impression nulle et morne dont l'espace est pénétré — se dégage une si poignante sensation de vide, que l'on se croirait chez des défunts.

Or, chaque jour, à cette heure vespérale, en l'*une* de ces petites villes, et dans la plus déserte allée du mail, se rencontrent, d'habitude, deux promeneurs, — habitants assez anciens déjà de la localité. Tous deux, certes, doivent avoir franchi la cinquantaine : leur mise recherchée, leur fin linge à dentelles, le suranné de leurs longs vêtements, le brillant de leurs chapeaux à large bord, leur tenue encore fringante, leurs allures, enfin, parfois étrangement conquérantes, tout, jusqu'aux boucles de leurs

trop élégants souliers, décèle on ne sait quels verts-
galants endurcis.

A quoi riment ces airs vainqueurs, au milieu d'un
agrégat d'êtres négatifs, d'une bisexualité quelconque, en
le mental desquels l'interjection « Que faire !... » ne saurait surgir ?

Le jonc à pomme d'or aux doigts, le premier advenu
s'engage sous les arbres solitaires où bientôt survient son
ami. Chacun, à tour de rôle, sur de mystérieuses pointes
de pieds, s'approche : puis, se penchant à l'oreille de
l'autre, et protégeant d'une main le chuchotement de ses
paroles, murmure de fort surprenantes phrases analogues,
par exemple, à celle-ci (aux noms près) :

— Ah ! mon cher ! la Pompadour a été charmante, hier
au soir !

— Dois-je vous féliciter ? réplique, non sans un sourire assez infatué, l'interlocuteur.   ·

— Peuh !... S'il faut tout dire, je lui préfère encore
cette délicieuse du Deffant [161]. — Quant à Ninon...

(Le reste s'achève à voix basse et le bras passé sous
celui du confident.)

— Soit ! reprend alors celui-ci, les yeux au ciel ; mais
Sévigné, mon cher !... ah ! cette Sévigné !...

(On marche ensemble, sous les vieux ombrages ; la nuit
va bleuir et s'allumer.)

— Aujourd'hui même, je dois l'attendre, sur les neuf
heures, ainsi que la Parabère [162], bien que ce diable de
régent...

— Tous mes compliments, mon bien cher. Oui, ne
sortons plus du grand siècle. Je ne compte, sur mes
tablettes, que trois adorées du très ancien temps, moi :
premièrement, Héloïse...

— Chut !

— Ensuite, Marguerite de Bourgogne.

— Brrr !

— Enfin, Marie Stuart.

— Hélas !

— Eh bien, j'ai reconnu que le charme de ces dames
de jadis le cédait à celui des dames de naguère.

Ce disant, l'étonnant blasé pirouette sur un talon

— qu'empourpre, ou rubéfie [163], parfois, au travers des branchages plaintifs, quelque dernier rayon du soir.

— Restons, désormais, dans les Watteau, conclut-on d'un air entendu, connaisseur et péremptoire.

— Ou les Boucher, — qui lui est supérieur.

Continuant d'une plus discrète voix, l'on s'enfonce dans les allées latérales. Du côté des maisons, là-bas, les rideaux blancs des croisées, çà et là, de lueurs claires et vives s'inondent; et, dans l'obscurité des rues, de soudains réverbères palpitent. Derrière nos causeurs s'allongent leurs propres ombres, qui semblent renforcées de toutes celles dont ils devisent. Bientôt, après un cérémonieux et cordial serrement de main, le duo de ces plus qu'étranges céladons [164] se sépare, chacun d'eux se dirigeant vers son logis.

— Qui sont-ce?

Oh! simplement deux ex-viveurs des plus aimables, d'assez bonne compagnie même, l'un veuf, l'autre célibataire. La destinée les a conduits et internés, presque en même temps, en cette petite ville.

Leurs moyens d'exister? A peine quelques inaliénables rentes, échappées au naufrage: rien de superflu. Ici, tout d'abord, ils ont essayé de « voir le monde »: mais, dès les premières visites, ils se sont retirés, pleins d'effroi, dans leurs modestes demeures. N'y recevant plus que leur quotidienne ménagère, ils se sont reclus en une parfaite solitude. — Tout! plutôt que de fréquenter les si HONORABLES vivants de l'endroit!

Pour échapper au momifiant ennui que distille l'atmosphère, ils ont essayé de lire. Puis, écœurés par les livres de hasard pris à l'affreux cabinet de lecture — au moment, enfin, d'y renoncer et de borner leurs espoirs à de peu variées causeries (coupées, même, d'éperdues parties de cartes) entre eux seuls — voici que de fantasmatiques ouvrages, traitant des phénomènes dits de spiritisme, leur sont tombés entre les mains. Par manière de tuer le temps, et mus aussi par une certaine curiosité sceptique, — ils se sont risqués en de falotes [165] et gouailleuses expériences. On s'évertuait, s'excluant du « monde », à se créer des relations de « l'autre monde ». Remède héroï-

que ! soit : mais, à tout prendre, jouer aux petits papiers
avec de belles défuntes (s'il se pouvait) leur semblait
beaucoup moins insipide que d'écouter les propos des
gens du lieu.

Donc, en leurs soyeux petits salons, l'un mauve, l'autre bleu pâle, sortes de boudoirs meublés avec un goût
tendrement suggestif, qu'éclairait à peine la lueur — ta-
misée par le riche abat-jour à rubans — de la lampe
baissée, ils se sont livrés à de d'abord anodines et gau-
ches évocations. — Ah ! quelle source d'agréables soirées, pourtant, s'il leur était tôt ou tard donné de discerner
de ravissants mânes, — d'exquises ombres, assises sur
ces coussins aux nuances éteintes, qu'ils disposèrent à cet
effet !... Aussi, lorsqu'après diverses tentatives passa-
blement dérisoires leurs guéridons respectifs se mirent
— là, tout à coup, sous leurs prunelles à la longue hyp-
notisées — à remuer, tourner et parler, ce fut, en tout leur
être, une liesse profonde. Un filon d'or apparaissait à ces
délicieux porions perdus en une mine d'insignifiance.

Leur nostalgie devait se prêter bien vite, et volontiers,
à tout un ensemble de concessions que, d'ailleurs, certains effets réels sont de nature à suggérer. Y prendre
goût, jusqu'à s'illusionner en des émois semi-factices,
aider le sortilège de quelque bonne volonté, afin de VOIR,
quand même, *à tout prix,* se tramer, sur la transparence et
les pâlissements de l'ambiante pénombre, des formes de
belles évanouies, acquérir, à force de patience, une sorte
de paradoxale crédulité dont il leur était doux de se duper
mélancoliquement les sens, — ils n'y résistèrent pas. En
sorte que, bientôt, leurs soirées se passèrent en de subtiles
et ténébreuses causeries, qui, parfois, devenaient vaguement visionnaires. Et, l'habitude s'invétérant, des sensations de présences merveilleuses, flottantes comme autour d'eux, leur sont devenues familières.

Maintenant, ils offrent le thé, tous les soirs, à ces
visiteuses. Ils s'empressent, — et leurs robes de chambre
pou-de-soie [166], l'une couleur carmélite, l'autre nuance
gris minime [167], aux agréments tabac d'Espagne [168],
puent légèrement le musc, par une prévenance d'outre-
tombe dont il leur est su gré peut-être. Au milieu de

colloques idéals, ils ressentent le parfum d'approches charmantes, d'une ténuité fugitive, il est vrai, mais dont se contente la souriante mélancolie de leur pimpante sénilité. En cette petite ville, dont ils ont su annuler le voisinage, leur arrière-saison s'écoule ainsi, de préférence, en mille vagues bonnes fortunes, aux faveurs rétrospectives, dont ils effeuillent les posthumes roses : et ce sont, le lendemain, de mutuelles confidences, sous l'assombrissement des hautes ramures que froissent les souffles du crépuscule, sur le « cours des *Belles-Manières* ».

Dans le trouble des débuts, ils ont un peu laissé toutes ces dames de l'Histoire défiler en leurs inquiétants petits salons ; mais ils ne flirtent plus, à présent, qu'avec les piquants fantômes du dix-huitième siècle ! Leurs guéridons, aux marqueteries qu'ils parsèment de fleurs du temps, oscillent sous leurs mains galantes, et, comme sous le poids d'ombres gracieuses, se balancent en des allures qui rappellent souvent telles enguirlandées escarpolettes de Fragonard.

(Oh ! l'on se retire vers les dix heures et demie — à moins que des reines ou des impératrices, par hasard, ne soient venues ; l'on veille, alors, jusqu'à onze heures, par déférence.)

Certes, avec des roquentins vulgaires, un tel passe-temps pourrait entraîner des dangers graves — et de bien des genres : — heureusement, *tout au fond de leurs pensées,* nos fins et doux personnages ne sont pas dupes !... Comment seraient-ils assez sots pour oublier que la Mort est chose décisive et impénétrable ?... — Seulement, à la vue des gavottes alphabétiques esquissées par leurs guéridons, ces « médianimisés [169] » — d'un christianisme un peu somnolent sans doute, mais inviolable en ses intimes réserves — ont fini par se persuader qu'il est, peut-être, à l'intérieur des airs, des lutins joueurs, des esprits gracieux, doués d'espièglerie, qui, s'ennuyant aussi, tout comme les passants humains, acceptent, pour tuer le temps, de se prêter, sous le voile des fluides (et surtout avec des vivants aimables) à cet innocent jeu de l'Illusion, — comme des enfants qui endossent quelque vieille

robe à fleurs d'autrefois, et se poudrent avec de char-
mants rires!... — et... que ces esprits et ces vivants
peuvent, alors, se chercher à tâtons, s'apparaître par
aventure, en s'aidant d'un soupçon de mutuelle crédulité,
— s'effleurer, se prendre, même, très soudainement, la
main... puis s'effacer, de côté et d'autre, dans l'immense
cache-cache de l'univers.

LES DÉLICES D'UNE BONNE ŒUVRE

A Monsieur Henry Roujon [170].

Eleemosyna.
N.T. [1/1]

Certes, s'il est malaisé d'accomplir le moindre bien, il est encore (l'ayant essayé) plus difficile de se soustraire soi-même au triste ridicule de s'en magnifier quelque peu, bon gré malgré soi, tout au fond de son esprit.

Un heureux destin nous jette, en passant, la *chance* de donner une petite aumône, oh! si misérable, comparée à ce que nous gaspillons sans motif! — de remplir une millième partie de notre plus strict devoir, alors que cela ne nous coûte aucune privation positive ou appréciable; — cet honneur, immérité, de faire la plus petite aumône, enfin, nous est octroyé, — nous y condescendons presque toujours avec un effort (si léger qu'il soit)! Et, même alors que notre vanité s'humilie de l'exiguïté de notre don, nous trouvons moyen de nous travestir en l'offrant, jusqu'à prendre on ne sait quel air compoinct [172], on ne sait quelle mine apitoyée vraiment à mourir de rire, — et de nous en faire, obscurément, accroire sur notre «mérite»! Et, ceci, alors que — si nous eussions même accompli *tout* notre devoir — ce serait à nous, au contraire, de remercier le pauvre de nous avoir fourni l'occasion de nous acquitter envers lui!

Bref, nous ne pouvons, durant au moins quelques secondes d'attendrissement vague sur nous-mêmes, OUBLIER notre don, — et menteur qui le nie! Nous sommes, presque tous, foncièrement, assez frivoles et assez vains pour que la première arrière-pensée qui s'éveille alors en nous, à notre insu, soit de nous dire: «Voici que j'ai donné une monnaie, dix sous, cinq francs, — à ce famélique, à ce mal vêtu (sous-entendu: *qui est, par consé-*

quent, mon inférieur!!), hé bien! tout le monde n'est pas
aussi GÉNÉREUX que moi. » Quelle burlesque hypocrisie! quelle honte! — La seule aumône méritant ce grand
nom est celle que l'on effectue joyeusement, très vite,
sans y songer; — ou, si l'on ne peut s'exempter d'y
songer, en demandant humblement pardon à Dieu, le
rouge au front, de n'avoir offert qu'un aussi faible
acompte.

Car si l'aumône est commise avec ce mondain sentiment qui en extrait, pour nous, une sorte de piédestal où,
Stylites [173] anodins, nous nous juchons, en secret, non
sans complaisance, — et que, grâce à telle circonstance
ambiante, cette aumône tourne brusquement, en — par
exemple — quelque farce macabre, il apparaîtra que cette
aumône est, en réalité, si peu de chose, qu'elle et la farce
qui l'aura continuée sembleront, dans l'impression qui
ressortira de leur ensemble, *le tout naturel revers l'une de
l'autre*.

A Ville-d'Avray, par un clair soleil d'hiver, sur les
quatre heures et demie d'une récente relevée, un brun
mendiant, assez bien pris, même, en ses haillons, se
tenait debout, — au coin de la grille ouvragée, grande
ouverte, — à l'entrée d'une maison de plaisance aux
persiennes fermées, dont il semblait l'inconscient fac-
tionnaire. La voûte prolongée du porche, derrière lui,
aboutissait à des jardins : c'était en l'une des rues à peu
près désertes, à cette heure-là surtout, les villas étant
closes depuis septembre.

La tête fatiguée de jeûnes, pâlie et profondément triste
de ce nécessiteux, prenait donc on ne sait quelles in-
flexions d'inespérance; parfois, avec un soupir dont le
souffle lui gonflait les narines comme des voiles, il élevait de grands regards, presque mystiques, vers les nuées
du soir, — vers les mouvantes cuivreries solaires que
déjà bleutait vaguement le crépuscule.

Autour de lui, par les frigidités aériennes, flottaient de
lointaines odeurs de fleurs sèches, émanées des environs
de cette localité champêtre, — et aussi de saines senteurs
de paille et d'herbées, provenues, celles-ci, d'une assez
épaisse litière de frais fourrages nouveaux, entassée au

long du mur, près de lui, sous l'entrée même de la riante habitation.

Soudain, là-bas, au détour d'une buissonneuse venelle, apparut, s'engageant à petits pas pressés, sur le terreau de la rue, — enfin, se hâtant, la voilette sur le minois et tout en fourrures sur velours, avec de menus frissons et les mains au manchonnet, — une jolie passante.

Une très jeune femme... tout simplement Mlle Diane L..., — si ressemblante à notre célèbre Mme T*** [174], que, s'il faut en croire les dires, plusieurs d'entre les enthousiastes de la diva se seraient consolés, aux pieds mignons de ce féminin sosie, des rebelles austérités de l'étoile : en un mot, sa doublure d'amour, artiste aussi. — Pourquoi cette présence, là, ce soir ? — Oh ! de retour, sans doute, de quelque visite brève à sa villégiature quittée, — au sujet, peut-être, de tel objet oublié... d'une futilité dont l'absence l'avait rendue nerveuse, là-bas, et qu'elle était venue, de Paris même, reprendre... ou telle autre chose de ce genre ; il n'importe.

En peu d'instants elle se trouva proche de l'indigent, qu'elle entrevit à peine, — assez, toutefois, pour qu'en une mélancolie elle tirât, d'un repli de soie perle du manchon, son porte-monnaie, car son petit cœur est aumônieux et compatissant. Du bout de sa main, gantée d'un très foncé violet, elle tendit une pièce de deux francs, en disant d'une voix polie, glacée et musicale :

— Voulez-vous accepter, s'il vous plaît, monsieur ?

A ces ingénues paroles, et tout ébloui de la salubre offrande, le candide pauvre balbutia :

— Madame... c'est que... ce n'est pas deux sous, c'est deux francs !

— Oui, je sais bien ! répondit en souriant, et se disposant à s'éloigner, la charmante bienfaitrice.

— Alors, madame, oh ! soyez bénie, oh ! du fond de mon cœur ! s'écria tout à coup, et les larmes aux yeux, le mendiant. Voyez-vous, depuis avant-hier, ma femme, hélas ! ma pauvre chère femme et mes enfants n'ont rien mangé ! Ce que vous nous donnez, c'est la vie ! Oh ! que vous êtes bonne, madame !

L'accent, l'élan de gratitude qui faisait haleter cette

voix étaient si sincères, si poignants, que la jeune artiste se sentit remuée aussi et qu'une larme lui vint au bout des cils ! Elle pensait : « Comme, avec peu de chose, on fait du bien ! »

— Tenez, reprit-elle tout émue, — puisque c'est comme ça, je vais vous donner encore cinq francs.

Sept francs ! A la fois ! A la campagne !… Un véritable spasme d'allégresse ferma les yeux du mendiant, qui savoura, sans vaine parole, en soi-même, l'inattendu de cette aubaine. Inclinant le front, avec un délicat respect, sur le bout des doigts de Mlle L… :

— Nous ne méritons pas… Ah ! si toutes étaient comme vous ! Ah ! vénérable jeune dame !

Attendrie en présence de cette détresse heureuse que son aumône avait calmée, l'exquise enfant laissa baiser humblement le bout de son gant parfumé ; puis, se dégageant doucement la main, elle rouvrit sa petite bourse.

— Ma foi, dit-elle, je n'ai qu'une pièce de dix francs : tant mieux, prenez-la.

Cette fois, le gloussement d'un merci des plus inarticulés s'éteignit, à force d'émoi, dans la gorge du vagabond : il regardait la pièce d'or d'un air hébété ! Douze francs, d'un seul bloc, d'une seule rencontre ! Il était devenu grave. A l'idée évidente de sa femme et de ses enfants sauvés, sans doute, pour une quinzaine, des horreurs du dénuement, l'honnête pauvre frémissait d'un si intense besoin d'actions de grâces qu'il ne savait plus comment les formuler ni comment les taire. La délicieuse artiste, se sentant devenue pour lui l'image même de la Charité, jouissait, intimement, de l'embarras presque sacré du malheureux et, les yeux au ciel, elle goûtait les secrètes ivresses de l'apothéose. Pour exalter encore, s'il se pouvait, le paroxysme du sensible indigent, elle murmura :

— Et j'enverrai quelque chose, de temps en temps, chez vous, mon ami !

Pour le coup, cette phrase, qui assurait une sorte de petit avenir à sa famille, le fit presque chanceler. Il ne trouvait rien à dire !! Son bonheur, d'une part, — et, d'autre part, son impuissance à prouver, à témoigner, par quelque acte héroïque, fût-ce au prix de ses jours, la sincérité de son effrénée reconnaissance, l'oppressaient jusqu'à la suffocation. En un transport dont il ne fut pas maître, il prit naïvement entre ses bras sa bienfaitrice, que ce mouvement irréfléchi ne pouvait froisser, puisqu'elle s'y sentait pure et devenue la vision d'un ange. En l'oubli de toute convenance, il l'embrassa maintes fois, éperdument, avec des cris de « Ma femme ! mes enfants ! » qui inspirèrent à la jeune artiste la conviction qu'elle pouvait doubler la Providence comme elle doublait Mme T***. Si bien que ni l'un ni l'autre, au fort du quiproquo de cette extase réflexe, ne se rendit compte que, par des transitions d'une brièveté vertigineuse, la belle Diane se trouvait à demi posée, à son insu, sur la litière agreste et que, maintenant, elle subissait — avec une stupeur qui lui dilatait les prunelles (mais le doute ne lui était plus permis) — la possessive étreinte de son trop expansif obligé, lequel, sous une rafale de baisers (oh ! bien sincères !) étouffait, sans même y prendre garde, toute exclamation d'appel, et ne cessait de lui entrecouper à l'oreille, en des sanglots célestes, ces mots pénétrés de ravissements :

— Oh ! merci pour ma pauvre femme ! ! Oh ! que vous êtes bonne ! ... Oh ! merci pour mes pauvres enfants !

Quelques minutes après, un bruit de pas et de voix, parvenu du dehors et s'approchant dans la rue jusque-là solitaire, ayant rendu, comme en sursaut, l'irresponsable Lovelace [175] au sentiment de la réalité, la jeune artiste put se dégager d'un bond, s'échapper — et, déconcertée, défrisée, les joues roses, le sourcil froncé, se rajustant de son mieux, à la hâte, — reprendre le chemin de sa voisine villa, pour s'y remettre. En marchant, elle se jurait qu'à l'avenir — non seulement les dons offerts par sa main droite resteraient ignorés de sa main gauche et qu'elle ne jouerait plus les séraphins à douze francs la personne, — mais qu'elle saurait couper court aux premiers remerciements de ses chers besogneux.

Les voiles du soir s'épaississaient. A l'angle de sa route elle se retourna, tout effarée encore de cette aven-

ture : un réverbère, en s'allumant, éclaira, près de la
grille, la face brune, aux dents blanches, du mendiant...
qui souriait dans l'ombre — et la suivait d'un long regard
chargé d'une reconnaissance infinie !

L'INQUIÉTEUR

A Monsieur René d'Hubert [176].

Et j'ai reconnu que tout n'est qu'une vanité des vanités, et que cette parole, même, est encore une vanité.

L'ECCLÉSIASTE [177].

Au printemps de l'année 1887, une véritable épidémie de sensibilité s'abattit sur la capitale et la désola jusqu'aux canicules. Une sorte de courant de nervosisme-élégiaque pénétrait les tempéraments les plus épais, sévissant, avec une intensité plus spéciale, chez les fiancés, les amants, les époux, même, que disjoignait un subit trépas. D'affolées scènes d'un « désespoir » absolument indigne de gens modernes se produisaient, chaque jour, au cours de maintes et maintes funérailles — et, dans les cimetières, en arrivaient, parfois, à déconcerter les fossoyeurs au point d'entraver leurs agissements. Des corps-à-corps avaient eu lieu entre ceux-ci et bon nombre de nos inconsolables. Les journaux ne parlaient que d'amants, que d'époux, même, annihilés par l'émotion jusqu'à se laisser choir dans la fosse de leurs chères défuntes, refusant d'en sortir, étreignant le cercueil et réclamant une inhumation commune. Ces crises, ces tragiques *arias*, dont gémissaient, tout bas, le bon ordre et les convenances, étaient devenus d'une fréquence telle que les croque-morts ne savaient littéralement plus où donner de la tête, ce qui entraînait des retards, des encombrements, des substitutions, etc.

Cependant, comment interdire ou punir des accès qui, pour déréglés qu'ils fussent, étaient aussi involontaires que *respectables* ?

Pour obvier, s'il se pouvait, à ces inconvénients étranges, l'on avait fini par s'adresser à la fameuse « Académie libre des Innovateurs à outrance ».

Son président-fondateur, le jeune et austère ingénieur-possibiliste [178], M. Juste Romain, — (cet esprit progressiste, rectiligne et sans préjugés, dont l'éloge n'est plus à faire), avait répondu, en toute hâte, que l'on aviserait.

Mais les imaginations de ces messieurs se montrant, ici, singulièrement tardigrades [179], bréhaignes [180] et sans cesse atermoyantes, l'on avait pris, d'urgence (la Parque n'attendant pas), des mesures quelconques, faute de meilleures.

Ainsi l'on avait mis en œuvre ces engins dont le seul aspect semble vraiment fait pour calmer et refroidir les trop lyriques expansions de regrets chez les cœurs en retard : — par exemple, ces ingénieuses machines, dites funiculaires (en activité aujourd'hui dans nos cimetières principaux) et grâce auxquelles on nous enterre, présentement, à la mécanique — ce qui est beaucoup plus expéditif (et même plus *propre*) que d'être enterré à la main, plus moderne aussi. En trois tours de cric, une grue à cordage vous dépose, vous et votre bière, dans le trou, comme un simple colis. — Crac ! un tombereau de gravats boueux s'incline : brrroum ! c'est fait. Vous voilà disparu. Puis, cela roule vers l'ouverture voisine : à un autre ! et même jeu. Sans cette rapidité, il saute aux yeux que l'administration surmènerait en vain ses noirs employés : vu l'affluence, et les chiffres toujours croissants de la population, le sinistre personnel des Pompes Funèbres n'y pourrait suffire et le service en souffrirait.

Toutefois, ce vague remède *physique* s'était vu d'une impuissance appréciable dans l'espèce : et divers accidents en ayant rendu l'usage inopportun (du moins en ces circonstances exceptionnelles) on avait cherché « autre chose » — et le bruit courait, à présent, qu'un inconnu de génie avait trouvé l'expédient.

Or, à quelque temps de ces entrefaites, par un frais matin soleillé d'or, entre le long vis-à-vis des talus en verdures, plantés de peupliers, passait, sur un char tiré au pas de deux sombres chevaux, un amoncellement de violettes, de bruyères blanches, de roses-thé en couronnes — et de *ne m'oubliez pas !* — C'était sur la route du champ d'asile d'une de nos banlieues.

Les franges des draperies mortuaires scintillaient, givres d'argent, à l'entour de cette ambulante moisson florale qui transfigurait en un bouquet monstre le char morose, — derrière lequel, isolé de trois pas de la longue suite des piétons et des voitures, marchait tête nue et le mouchoir appuyé au visage, qui ? M. Juste Romain, lui-même. Il venait d'être éprouvé à son tour : en moins de vingt-quatre heures, sa femme, sa tendre femme, avait succombé...

Aux yeux du monde, suivre, soi-même, le convoi d'une épouse plus qu'aimée est un acte d'inconvenance. Mais M. Juste Romain se souciait bien du monde, en ce moment !... Au bout de cinq mois, à peine, de délices conjugales, avoir vu s'éteindre son unique, sa meilleure moitié, sa trop passionnée conjointe, hélas ! Ah ! la vie ne lui offrant, désormais, plus aucune saveur, n'était-ce pas — vraiment — à s'y soustraire ?... Le chagrin l'égarait au point que ses fonctions sociales elles-mêmes ne lui semblaient plus mériter qu'un ricanement amer ! Que lui importait, à présent, ponts et chaussées !... Nature nerveuse, il ressentait maints lancinants transports, causés par mille souvenirs de joies à jamais perdues. Et ses regrets s'avivaient, s'augmentaient, s'enflaient encore de la solennité ambiante, — de la préséance même qu'il avait l'*honneur* d'occuper, à l'écart de ses semblables, immédiatement derrière ce corbillard somptueux, d'une classe de choix, et d'où quelque chose de la majesté de la Mort semblait rejaillir sur lui et sa douleur, les «poétisant». — Mais l'intime simplicité de sa tristesse, n'étant que falsifiée par ce sentiment théâtral, s'en envenimait, à chaque pas, jusqu'à devenir intolérable. Une contrariante sensation de ridicule finissait par se dégager, autour de lui, du guindé de sa désolation vaniteuse.

Il tenait bon, cependant : et, bien que l'émotion lui fît vaciller les jambes, il avait, à différentes reprises, pendant le trajet, refusé d'un : «Non ! laissez-moi !» presque impatient, le secours affectueux, venu s'offrir. — Or, à présent, l'on approchait... et, en l'observant, les invités de l'avant-garde commençaient à redouter que certains détails suprêmes, tout à l'heure, — par exemple, le bruissement particulier de la première pelletée de terre et de pierres tombant sur le bois du cercueil, — ne l'impressionnassent d'une manière dangereuse. Déjà l'on apercevait, là-bas, de longues formes de caveaux, des silhouettes... On était dans l'inquiétude.

Tout à coup sortit de son rang processionnel, un adolescent d'une vingtaine d'années. Vêtu d'un deuil élégant, il s'avança, tenant un bouquet de roses-feu, cerclé d'immortelles. Ses cheveux dorés, sa figure gracieuse, ses yeux en larmes prévenaient en sa faveur. Dépassant le président honoraire des Innovateurs-à-outrance, il s'avança, n'étant sans doute plus maître de sa douleur, jusqu'auprès du char fleuri. Son bouquet une fois inséré parmi les autres, — mais juste au chevet présumable de la trépassée, — il saisit le brancard d'une main, s'y appuyant, tandis qu'un sanglot lui secouait la poitrine.

La stupeur de voir l'intensité de sa propre peine partagée par un inconnu, dont la belle mine, d'ailleurs (il ne sut pourquoi !), le froissa tout d'abord au lieu d'éveiller sa sympathie, fit que l'ingénieur, se raffermissant soudain sur ses pieds et haussant les sourcils, essuya ses paupières — devenues brusquement moins humides.

— Sans doute, quelque parent, dont Victurnienne aura oublié de me parler ! pensa-t-il.

Au bout de quelques pas, et comme les gémissements du jeune « parent » ne discontinuaient point, à l'encontre de ceux du mari qui s'étaient calmés comme par enchantement :

— N'importe ! il est singulier que je ne l'aie jamais vu chez nous !... murmura celui-ci, les dents un peu serrées.

Et, s'approchant du bel inconnu :

— Monsieur n'est-il pas un cousin de... de la défunte ? demanda-t-il tout bas.

— Hélas, monsieur ! — *plus qu'un frère !* balbutia l'adolescent, dont les grands yeux bleus étaient fixes.

Nous nous aimions tant ! Quel charme ! Quel abandon ! Quelle grâce ! Et quel cœur fidèle !... Ah ! sans ce triste mariage de raison, qui nous a... — Mais que dis-je ! Mes idées sont tellement troublées...

— Le mari, c'est moi, monsieur : qui êtes-vous ? arti-

cula, sans cesser d'assourdir sa voix, mais devenu graduellement blême, M. Romain.

Ces simples mots parurent produire un effet voltaïque
sur le blond survenu. Il se redressa, très vite, froid et
surpris. Aucun des deux ne pleurait plus.

— Quoi ? Comment, vous êtes… c'est vous qui… Ah !
recevez tous mes regrets, monsieur : je vous croyais chez
vous, selon l'usage… et, plus tard, ce soir, sans doute, je
vous expliquerai… je — mille pardons ! mais…

Un cabriolet passait : le jeune imprudent y bondit, en
jetant à l'oreille du cocher : « Continuez ! Au galop ! Tout
droit ! Dix francs de pourboire ! »

Abasourdi, ne pouvant quitter son poste lugubre, ni
poursuivre le déjà lointain Don Juan sentimental, le grand
Innovateur Juste Romain, toutefois, grâce à l'acuité de
coup d'œil propre aux époux ombrageux, avait remarqué
et retenu le numéro de la voiture.

Une fois au champ du Repos, la foule, autour de la
fosse fleurie, admira la tenue ferme et calme — que ses
amis même n'avaient pas osé espérer — avec laquelle il
expédia les dernières, les plus sinistres formalités. Chacun fut frappé de l'empire sur soi-même qu'il témoignait ;
la considération dont il jouissait comme homme sérieux
s'en accrut, même, au point que plusieurs, séance te-
nante, résolurent de lui confier, à l'avenir, leurs intérêts
— et que l'éternel « gaffeur » de toutes les assemblées,
ému du courage de M. Romain, lui en adressa étourdiment une félicitation pour le moins intempestive.

Il va sans dire qu'aussitôt que possible, l'ingénieur prit
congé à l'anglaise de son entourage, courut à l'entrée
funèbre, sauta dans l'une des voitures, donna son adresse
à la hâte, et, s'étant renfermé derrière les vitres relevées,
croisa et décroisa vingt fois, au moins, ses jambes, durant
le chemin.

De retour chez lui, la première chose que ses regards
errants aperçurent, ce fut, sur la table du salon, une vaste
enveloppe carrée sur laquelle il put lire en gros caractères : « COMMUNICATION URGENTE ».

L'ouvrir fut l'affaire d'une seconde. En voici le
contenu :

Paris, ce 1er avril 1887.

ADMINISTRATION
DES
POMPES FUNÈBRES
CABINET DU DIRECTEUR
—

Monsieur,

En vertu de l'arrêté ministériel en date du 31 février 1887, nous nous faisons un devoir de vous aviser que, — pour l'exercice de l'année courante, — l'administration s'est adjoint un corps, dit d'inquiéteurs ou pleureurs, destinés à fonctionner au cours des inhumations dont nous est confié le cérémonial. Cette mesure, essentiellement moderne, s'imposait, à titre d'innovation tout humanitaire : elle a été prise sur les conclusions de la Faculté de physiologie, ratifiée par les praticiens légistes de Paris, et à nous signifiée en même date.

Au constat de l'endémique Névrose, en ascendance vers l'Hystérie, qui sévit actuellement sur nos populations, — dans le but, aussi, d'éviter chez, par exemple, les jeunes veufs notoirement atteints de regrets trop aigus envers leur décédée, et qui, contre les usages, se risquent à braver, de leur présence, les sévères péripéties de la mise en fosse, — il a été statué que, sur l'appréciation d'un docteur expert, attaché, d'office, aux obsèques, s'il juge que le conjoint demeuré sur cette terre a trop présumé de ses forces, et pour lui épargner les crises de nerfs, heurts cérébraux, syncopes, convulsions et comas éventuels : bref, toutes manifestations inutilement dramatiques et pouvant entraîner maints désordres de nature même à troubler la bonne effectuation de ladite mise en fosse, — l'un de nos nouveaux employés, dits *Inquiéteurs,* lui serait dépêché à l'effet d'opérer en lui, selon son tempérament, telle diversion morale (analogue aux révulsifs et moxas [181] dans l'ordre physique). Cette diversion, frappant, en effet, l'imagination du survivant et y suscitant des sentiments inattendus, lui permet de faire froidement et distraitement face, en homme de cœur, aux tristes nécessités de la situation.

Monsieur, le jeune blond de ce matin n'est donc qu'un de ces employés; inutile d'attester qu'il n'a jamais vu ni connu celle... que vous pouvez pleurer, dorénavant, chez vous, en toute liberté, sans inconvénients désormais pour l'ordre public.

Nos clients ne nous sont redevables d'aucune taxe supplémentaire, les honoraires de l'Inquiéteur se trouvant compris, sur notre facture, dans les frais généraux.

Recevez, etc.

Pour le directeur,
POISSON.

Sans hésiter, au sortir de l'évanouissement que lui causa cette circulaire, l'austère possibiliste Juste Romain, — sans prendre garde aux dates spécifiées en icelle, adressa, par lettre recommandée, à la Société des Innovateurs à outrance, sa démission de président-fondateur. — Il voulait ensuite aller provoquer en un duel à mort M. le ministre de l'Intérieur, ainsi que M. le directeur des Pompes Funèbres, après avoir, préalablement, étranglé leur jeune suppôt...

Mais le temps et la réflexion n'arrangent-ils pas toutes choses ?

LA TORTURE

PAR L'ESPÉRANCE

A Monsieur Édouard Nieter [182].

Sous les caveaux de l'Official de Sarragosse, au tomber d'un soir de jadis, le vénérable Pedro Arbuez d'Espila [183], sixième prieur des dominicains de Ségovie, troisième Grand-Inquisiteur d'Espagne — suivi d'un *fra* redemptor (maître-tortionnaire) et précédé de deux familiers [184] du Saint-Office, ceux-ci tenant des lanternes, descendit vers un cachot perdu. La serrure d'une porte massive grinça : on pénétra dans un méphitique *in-pace,* où le jour de souffrance d'en haut laissait entrevoir entre des anneaux scellés aux murs, un chevalet noirci de sang, un réchaud, une cruche. Sur une litière de fumier, et maintenu par des entraves, le carcan de fer au cou, se trouvait assis, hagard, un homme en haillons, d'un âge désormais indistinct.

Ce prisonnier n'était autre que rabbi Aser Abarbanel, juif aragonais, qui — prévenu d'usure et d'impitoyable dédain des Pauvres, — avait, depuis plus d'une année, été, quotidiennement, soumis à la torture. Toutefois, son « aveuglement étant aussi dur que son cuir », il s'était refusé à l'abjuration.

Fier d'une filiation plusieurs fois millénaire, orgueilleux de ses antiques ancêtres, — car tous les Juifs dignes de ce nom sont jaloux de leur sang, — il descendait, talmudiquement, d'Othoniel, et, par conséquent, d'Ipsiboë, femme de ce dernier Juge d'Israël [185] : circonstance qui avait aussi soutenu son courage au plus fort des incessants supplices.

Ce fut donc les yeux en pleurs, en songeant que cette âme si ferme s'excluait du salut, que le vénérable Pedro Arbuez d'Espila, s'étant approché du rabbin frémissant, prononça les paroles suivantes :

— Mon fils réjouissez-vous : voici que vos épreuves d'ici-bas vont prendre fin. Si, en présence de tant d'obstination, j'ai dû permettre, en gémissant, d'employer bien des rigueurs, ma tâche de correction fraternelle a ses limites. Vous êtes le figuier rétif qui, trouvé tant de fois sans fruit, encourt d'être séché... mais c'est à Dieu seul de statuer sur votre âme. Peut-être l'infinie Clémence luira-t-elle pour vous au suprême instant ! Nous devons l'espérer ! Il est des exemples... Ainsi soit ! — Reposez donc, ce soir, en paix. Vous ferez partie, demain, de l'*auto da fé :* c'est-à-dire que vous serez exposé au *quemadero,* brasier prémonitoire de l'éternelle Flamme : il ne brûle, vous le savez, qu'à distance, mon fils, et la Mort met au moins deux heures (souvent trois) à venir, à cause des langes mouillés et glacés dont nous avons soin de préserver le front et le cœur des holocaustes. Vous serez quarante-trois seulement. Considérez que, placé au dernier rang, vous aurez le temps nécessaire pour invoquer Dieu, pour lui offrir ce baptême du feu qui est de l'Esprit-Saint. Espérez donc en La Lumière et dormez.

En achevant ce discours, dom Arbuez ayant, d'un signe, fait désenchaîner le malheureux, l'embrassa tendrement. Puis, ce fut le tour du *fra* redemptor, qui, tout bas, pria le juif de lui pardonner ce qu'il lui avait fait subir en vue de le rédimer ; — puis l'accolèrent les deux familiers, dont le baiser, à travers leurs cagoules, fut silencieux. La cérémonie terminée, le captif fut laissé, seul et interdit, dans les ténèbres.

Rabbi Aser Abarbanel, la bouche sèche, le visage hébété de souffrance, considéra, d'abord sans attention précise, la porte fermée. — « Fermée ?... » Ce mot, tout au secret de lui-même, éveillait, en ses confuses pensées, une songerie. C'est qu'il avait entrevu, un instant, la lueur des lanternes en la fissure d'entre les murailles de cette porte. Une morbide idée d'espoir, due à l'affaissement de son cerveau, émut son être. Il se traîna vers l'insolite *chose* apparue! Et, bien doucement, glissant un doigt, avec de longues précautions, dans l'entrebâillement, il tira la porte vers lui... O stupeur! par un hasard extraordinaire, le familier qui l'avait refermée avait tourné la grosse clef un peu avant le heurt contre les montants de pierre! De sorte que, le pêne rouillé n'étant pas entré dans l'écrou [186], la porte roula de nouveau dans le réduit.

Le rabbin risqua un regard au-dehors.

A la faveur d'une sorte d'obscurité livide, il distingua, tout d'abord, un demi-cercle de murs terreux, troués par des spirales de marches; — et, dominant, en face de lui, cinq ou six degrés de pierre, une espèce de porche noir, donnant accès en un vaste corridor, dont il n'était possible d'entrevoir, d'en bas, que les premiers arceaux.

S'allongeant donc, il rampa jusqu'au ras de ce seuil. — Oui, c'était bien un corridor, mais d'une longueur démesurée! Un jour blême, une lueur de rêve l'éclairait: des veilleuses, suspendues aux voûtes, bleuissaient, par intervalles, la couleur terne de l'air: — le fond lointain n'était que de l'ombre. Pas une porte, latéralement, en cette étendue! D'un seul côté, à sa gauche, des soupiraux, aux grilles croisées, en des enfoncées du mur, laissaient passer un crépuscule — qui devait être celui du soir, à cause des rouges rayures qui coupaient, de loin en loin, le dallage. Et quel effrayant silence!... Pourtant, là-bas, au profond de ces brumes, une issue pouvait donner sur la liberté! La vacillante espérance du juif était tenace, car c'était la dernière.

Sans hésiter donc, il s'aventura sur les dalles, côtoyant la paroi des soupiraux, s'efforçant de se confondre avec la ténébreuse teinte des longues murailles. Il avançait avec lenteur, se traînant sur la poitrine — et se retenant de crier lorsqu'une plaie, récemment avivée, le lancinait.

Soudain, le bruit d'une sandale qui s'approchait parvint jusqu'à lui dans l'écho de cette allée de pierre. Un tremblement le secoua, l'anxiété l'étouffait; sa vue s'obscurcit. Allons! c'était fini, sans doute! Il se blottit, à croppetons, dans un enfoncement, et, à demi-mort, attendit.

C'était un familier qui se hâtait. Il passa rapidement, un arrache-muscles au poing, cagoule baissée, terrible, et disparut. Le saisissement, dont le rabbin venait de subir l'étreinte, ayant comme suspendu les fonctions de la vie, il demeura, près d'une heure, sans pouvoir effectuer un mouvement. Dans la crainte d'un surcroît de tourments s'il était repris, l'idée lui vint de retourner en son cachot. Mais le vieil espoir lui chuchotait, dans l'âme, ce divin *Peut-être,* qui réconforte dans les pires détresses! Un miracle s'était produit! Il ne fallait plus douter! Il se remit donc à ramper vers l'évasion possible. Exténué de souffrance et de faim, tremblant d'angoisses, il avançait! — Et ce sépulcral corridor semblait s'allonger mystérieusement! Et lui, n'en finissant pas d'avancer, regardait toujours l'ombre, là-bas, où *devait* être une issue salvatrice.

— Oh! oh! Voici que des pas sonnèrent de nouveau, mais cette fois, plus lents et plus sombres. Les formes blanches et noires, aux longs chapeaux à bords roulés, de deux inquisiteurs, lui apparurent, émergeant sur l'air terne, là-bas. Ils causaient à voix basse et paraissaient en controverse sur un point important, car leurs mains s'agitaient.

A cet aspect, rabbi Aser Abarbanel ferma les yeux : son cœur battit à le tuer; ses haillons furent pénétrés d'une froide sueur d'agonie; il resta béant, immobile, étendu le long du mur, sous le rayon d'une veilleuse, immobile, implorant le Dieu de David.

Arrivés en face de lui, les deux inquisiteurs s'arrêtèrent sous la lueur de la lampe, — ceci par un hasard sans doute provenu de leur discussion. L'un d'eux, en écoutant son interlocuteur, se trouva regarder le rabbin! Et, sous ce regard dont il ne comprit pas d'abord l'expression distraite, le malheureux croyait sentir les tenailles chaudes mordre encore sa pauvre chair; il allait donc redevenir une plainte et une plaie! Défaillant, ne pouvant respirer, les paupières battantes, il frissonnait sous l'effleurement de cette robe. Mais, chose à la fois étrange et naturelle, les yeux de l'inquisiteur étaient évidemment ceux d'un homme profondément préoccupé de ce qu'il va répondre, absorbé par l'idée de ce qu'il écoute, ils étaient fixes — et semblaient regarder le juif *sans le voir!*

En effet, au bout de quelques minutes, les deux sinistres discuteurs continuèrent leur chemin, à pas lents, et toujours causant à voix basse, vers le carrefour d'où le captif était sorti; ON NE L'AVAIT PAS VU!... Si bien que, dans l'horrible désarroi de ses sensations, celui-ci eut le cerveau traversé par cette idée : «Serais-je déjà mort, qu'on ne me voit pas?» Une hideuse impression le tira de sa léthargie : en considérant le mur, tout contre son visage, il crut voir, en face des siens, deux yeux féroces qui l'observaient!... Il rejeta la tête en arrière en une transe éperdue et brusque, les cheveux dressés!... Mais non! non. Sa main venait de se rendre compte, en tâtant les pierres : c'était le *reflet* des yeux de l'inquisiteur qu'il avait encore dans les prunelles, et qu'il avait réfracté sur deux taches de la muraille.

En marche! Il fallait se hâter vers ce but qu'il s'imaginait (maladivement sans doute) être la délivrance! vers ces ombres dont il n'était plus distant que d'une trentaine de pas, à peu près. Il reprit donc, plus vite, sur les genoux, sur les mains, sur le ventre, sa voie douloureuse; et bientôt il entra dans la partie obscure de ce corridor effrayant.

Tout à coup, le misérable éprouva du froid *sur* ses mains qu'il appuyait sur les dalles; cela provenait d'un violent souffle d'air, glissant sous une petite porte à laquelle aboutissaient les deux murs. — Ah! Dieu! si cette porte s'ouvrait sur le dehors! Tout l'être du lamentable évadé eut comme un vertige d'espérance! Il l'examinait, du haut en bas, sans pouvoir bien la distinguer à cause de l'assombrissement autour de lui. — Il tâtait : point de verrous, ni de serrure. — Un loquet!... Il se redressa : le loquet céda sous son pouce; la silencieuse porte roula devant lui.

« — ALLELUIA!... » murmura, dans un immense soupir d'actions de grâces, le rabbin, maintenant debout sur le seuil, à la vue de ce qui lui apparaissait.

La porte s'était ouverte sur des jardins, sous une nuit d'étoiles ! sur le printemps, la liberté, la vie ! Cela donnait sur la campagne prochaine, se prolongeant vers les sierras dont les sinueuses lignes bleues se profilaient sur l'horizon ; — là, c'était le salut ! — Oh ! s'enfuir ! Il courrait toute la nuit sous ces bois de citronniers dont les parfums lui arrivaient. Une fois dans les montagnes, il serait sauvé ! Il respirait le bon air sacré ; le vent le ranimait, ses poumons ressuscitaient ! Il entendait, en son cœur dilaté, le *Veni foras* [187] de Lazare ! Et, pour bénir encore le Dieu qui lui accordait cette miséricorde, il étendit les bras devant lui, en levant les yeux au firmament. Ce fut une extase.

Alors, il crut voir l'ombre de ses bras se retourner sur lui-même : il crut sentir que ces bras d'ombre l'entouraient, l'enlaçaient, — et qu'il était pressé tendrement contre une poitrine. Une haute figure était, en effet, auprès de la sienne. Confiant, il abaissa le regard vers cette figure — et demeura pantelant, affolé, l'œil morne, trémébond, gonflant les joues et bavant d'épouvante.

— Horreur ! il était dans les bras du Grand-Inquisiteur lui-même, du vénérable Pedro Arbuez d'Espila, qui le considérait, de grosses larmes plein les yeux, et d'un air de bon pasteur retrouvant sa brebis égarée !...

Le sombre prêtre pressait contre son cœur, avec un élan de charité si fervente, le malheureux juif, que les pointes du cilice monacal sarclèrent, sous le froc, la poitrine du dominicain. Et, pendant que rabbi Aser Abarbanel, les yeux révulsés sous les paupières, râlait d'angoisse entre les bras de l'ascétique dom Arbuez et comprenait confusément *que toutes les phases de la fatale soirée n'étaient qu'un supplice prévu, celui de l'Espérance !* le Grand-Inquisiteur, avec un accent de poignant reproche et le regard consterné, lui murmurait à l'oreille, d'une haleine brûlante et altérée par les jeûnes :

— Eh quoi, mon enfant ! A la veille, peut-être, du salut... vous vouliez donc nous quitter !

L'ÉTONNANT COUPLE MOUTONNET

A Monsieur Henri Mercier [188].

Ce qui cause la réelle félicité amoureuse, chez certains êtres, ce qui fait le secret de leur tendresse, ce qui *explique* l'union fidèle de certains couples, est entre toutes choses un mystère dont le comique terrifierait si l'étonnement permettait de l'analyser. Les bizarreries sensuelles de l'Homme sont une roue de paon, dont les yeux ne s'allument qu'au-dedans de l'âme, et, seul, chacun connaît son désir.

Par une radieuse matinée de mars 1793, le célèbre citoyen Fouquier-Tinville [189], en son cabinet de travail de la rue des Prouvaires, assis devant sa table, l'œil errant sur maints dossiers, venait de signer la liste d'une fournée de ci-devants dont la suppression devait avoir lieu le lendemain même entre onze heures et midi.

Soudain, un bruit de voix, — celles d'un visiteur et d'un planton de garde, — lui parvint de derrière la porte.

Il releva la tête, prêtant l'oreille. L'une de ces voix, qui parlait de forcer la consigne, le fit tressaillir.

On entendait : « Je suis Thermidor Moutonnet ! de la section des *Enfants du devoir !*... Dites-lui cela ! »

A ce nom, Fouquier-Tinville cria :

— Laissez passer.

— Là ! je savais bien ! vociféra, tout en pénétrant dans la pièce, un homme d'une trentaine d'années, et de mine assez joviale, bien qu'une sournoiserie indéfinissable ressortît de l'impression que causait sa vue... Bonjour. C'est moi, mon cher : — j'ai deux mots à te dire.

— Sois bref : mon temps n'est pas à moi, ici.

Le survenu prit un siège et s'approcha de son ami.

— Combien de têtes pour la prochaine? demanda-t-il en indiquant la pancarte que venait de parapher son interlocuteur.

— Dix-sept, répondit Fouquier-Tinville.

— Il reste bien une petite place entre la dernière et ta griffe?

— Toujours! dit Fouquier-Tinville.

— Pour une tête de suspecte?

— Parle.

— Eh bien, je te l'apporte.

— Le nom? demanda Fouquier-Tinville.

— C'est une femme!... qui... doit être d'un complot... qui... Combien de temps demanderait le procès?

— Cinq minutes. — Le nom?

— Alors, on pourrait la guillotiner demain?

— Le nom??

— C'est ma femme.

Fouquier-Tinville fronça le sourcil et jeta la plume.

— Va-t'en; je suis pressé!... dit-il: nous rirons plus tard.

— Je ne ris pas: j'accuse!... s'écria le citoyen Thermidor d'un air froid et grave avec un geste solennel.

— Sur quelles preuves?

— Sur des indices.

— Lesquels?

— Je les pressens.

Fouquier-Tinville regarda de travers son ami Moutonnet.

— Thermidor, dit-il, ta femme est une digne sansculotte. Son pâté de jeudi dernier, joint à ces trois flacons de vieux vouvray — (que tu sus découvrir en ta cave derrière des fagots [190] de meilleur aloi que ceux que tu me débites) — fut bon, fut excellent. Présente mes cordialités à la citoyenne. — Nous dînons ensemble, demain soir, chez toi. Sur ce, fuis ou je me fâche.

Thermidor Moutonnet, à cette réponse presque sévère, se jeta brusquement à genoux, joignant les mains, des larmes aux yeux:

— Tinville, murmura-t-il comme suffoqué par une surprise douloureuse; — nous fûmes amis dès le ber-

ceau ; je te croyais un autre moi-même. Nous avons
grandi dans les mêmes jeux. Laisse-moi faire appel à ces
souvenirs. Je ne t'ai jamais rien demandé. — Me refuse-
ras-tu le premier service que j'implore ?

— Qu'as-tu bu ce matin ?

— Je suis à jeun, répondit Moutonnet en ouvrant de
grands yeux, ne comprenant évidemment pas la question.

Après un silence :

— Tout ce que je puis faire pour toi, c'est de lui taire,
demain soir à table, ta démarche incongrue. Je ne puis
croire que tu oses plaisanter, ici — ni que tu sois devenu
fou... quoique, d'après ce que tu demandes, cette dernière supposition soit admissible.

— Mais... je ne peux plus vivre avec Lucrèce ! gémit
le solliciteur.

— Tu as soif d'être cornard, citoyen : je vois cela.

— Ainsi... Tu me refuses !

— Quoi ? de lui faire couper le cou parce que vous
avez des mots ensemble ?

— Oh ! la carogne ! Voyons, mon bon Tinville, au
nom de l'amitié, mets ce nom sur ce papier, je t'en prie...
pour me faire plaisir !

— Un mot de plus, j'y mets le tien ! grommela Fouquier-Tinville en ressaisissant la plume.

— Ah ! par exemple... pas de ça ! cria Moutonnet,
tout pâle en se relevant. — Allons, soupira-t-il, c'est
bien ; je m'en vais. Mais, ajouta-t-il — *(d'une voix
de fausset hystériquement singulière,* pour ainsi dire,
et que son ami ne lui connaissait pas), — j'avoue que
je ne te croyais pas capable de me refuser, après tant
d'années de liaison, ce premier, cet insignifiant service qui ne t'eût coûté qu'un griffonnage ! — Viens
dîner demain, tout de même, — et motus à ma femme ;
ceci entre nous seuls ! acheva-t-il d'un ton sérieux et,
cette fois, *naturel.*

Thermidor Moutonnet sortit.

Resté seul, le citoyen Fouquier-Tinville, ayant rêvé un
moment, se toucha le front du doigt avec un froid sourire ;
puis, ayant haussé les épaules comme par forme de
conclusion, prit sa liste, en inséra le pli dans une large

enveloppe, écrivit l'adresse, scella et frappa sur un timbre.

Un soldat parut.

— Ceci au citoyen Sanson [191] ! dit-il.

Le soldat prit l'enveloppe et se retira.

Tirant un oignon d'or de son gilet en gros de Naples [192] fleuri d'arabesques tricolores, et regardant l'heure :

— Onze heures, murmura Fouquier-Tinville. — Allons déjeuner.

Trente ans après, en 1823, Lucrèce Moutonnet (une brune de quarante-huit ans, encore dodue, fine et futée !) et son époux Thermidor, s'étant expatriés en Belgique au bruit des canons de l'Empire, habitaient une maisonnette d'épicerie florissante, avec un coin de jardin, dans un faubourg de Liège.

Durant ces lustres, et dès *le lendemain* de la fameuse démarche, un mystérieux phénomène s'était produit.

Le couple Moutonnet s'était révélé comme le plus parfait, le plus doux, le plus fervent de tous ceux que l'amour passionnel enlaça jamais de ses liens délicieux. Le pigeon, la colombe ; tels ils se semblèrent.

Ils réalisèrent le modèle des existences conjugales. Jamais le plus léger nuage entre eux ne s'éleva. Leur ferveur fut extrême : leur fidélité presque sans exemple ; leur confiance, réciproque.

Et, cependant, le mortel auquel il eût été donné de pouvoir lire au profond de ces deux êtres, se fût senti bien étonné, peut-être, de pénétrer le *réel* motif de leur félicité.

Thermidor, en effet, chaque nuit, dans l'ombre où ses yeux brillaient et clignotaient, pendant que l'accolait conjugalement celle qui lui était chère, se disait en soi-même :

— Tu ne sais pas, non ! *toi,* tu ne sais pas que j'ai tenté le possible pour te faire COUPER LA TÊTE ! Ha ! ha ?... Si tu savais cela, tu ne m'accolerais pas en m'embrassant ! Mais, — ha ! ha ? *seul* je sais cela ! voilà — ce qui me transporte !

Et cette idée l'avivait, le faisait sourire, doucement, dans les ténèbres, le délectait, le rendait AMOUREUX jusqu'au délire. *Car il la voyait alors sans tête :* et cette sensation-là, d'après la nature de ses appétits, l'enivrait.

Et, de son côté, Lucrèce, également, se disait par une contagion, avec le même aigu d'idées, en de malsains énervements :

— Oui, bon apôtre, — tu ris ! tu es content ? Tu es ravi !... Eh bien, tu me désireras toujours. — Car *tu crois que j'ignore ta visite au bon Fouquier-Tinville, — ha ! ha ?...* et que tu as voulu me faire COUPER LA TÊTE, scélérat ! Mais, — voilà ! je SAIS cela, moi !... *Seule,* je sais ce que tu penses, — et à ton insu. Sournois, je connais tes sens féroces. — Et je ris tout bas ! et je suis très heureuse, malgré moi, mon ami.

Ainsi, le bas d'insanité sensorielle de l'un avait gagné l'autre, par le négatif. Ainsi vécurent-ils, se leurrant l'un l'autre (et l'un par l'autre), en ce détail niais et monstrueux où tous deux puisaient un terrible et continuel adjuvant de leurs macabres plaisirs ; — ainsi moururent-ils (elle d'abord), sans s'être jamais trahi le secret mutuel de leurs étranges, de leurs taciturnes joies.

Et le veuf, Thermidor Moutonnet, sans enfants, demeura fidèle à la mémoire de cette épouse, à laquelle il ne survécut que peu d'années.

Quelle femme, d'ailleurs, eût pu remplacer, *pour lui,* sa chère Lucrèce ?

NOTES

N.B. Plusieurs des notes qui suivent ont bénéficié de la science de M. Pierre-Georges Castex. Qu'il soit assuré ici de notre gratitude.

CLAIRE LENOIR

1. « Tu ne commettras pas l'adultère. » L'un des dix commandements dictés par Dieu à Moïse (*Exode*, 20,14).

2. « Marqué par la rêverie. » Villiers a trouvé cette formule dans le commentaire que Baudelaire donne des *Confessions d'un opiomane anglais* (*Les Paradis artificiels*, *Un mangeur d'opium*, I).

3. Sasser : « passer au sas » (tamis), c'est-à-dire « discuter, examiner » (Littré). Le verbe simple ne se trouve en général que dans l'expression « sasser et ressasser ».

4. « Faire penser » est la devise que Villiers avait mise en exergue à sa *Revue des Lettres et des Arts*, dans laquelle fut publiée en 1867 la première version de *Claire Lenoir*.

5. « Quelque chose d'inébranlable. »

6. Le « vocabulaire scientifique » auquel se réfère pédantesquement Bonhomet est celui de l'astrologie, fort à la mode au XIXᵉ siècle, et à laquelle Villiers s'est toujours intéressé. Romantiques et Symbolistes ont vécu sous le signe mélancolique de Saturne. Pour décrire en Bonhomet l'archétype du « saturnien moderne », Villiers s'est inspiré de l'ouvrage du chiromancien Adolphe Desbarrolles, *Les Mystères de la main révélés et expliqués* (Dentu, 1859), dans lequel un chapitre est consacré à l'exposé des différentes « signatures » astrales.

7. « Entendre la tablature », selon Littré, c'est « être rusé, capable de mener une intrigue » ; mais « donner de la tablature » à quelqu'un, c'est aussi lui « causer de la peine, du souci ». Dans son langage obscur et prétentieux, Bonhomet veut sans doute dire que son visage porte la marque des soucis, des préoccupations que lui donnent les intrigues qu'il trame.

8. En astrologie, Saturne symbolise la tristesse, la fatalité sombre, et Mercure l'invention, l'industrie, la ruse.

9. Villiers, comme ses contemporains, s'est intéressé à la physiognomonie. Les éléments qu'il en donne ici sont empruntés à l'ouvrage de Lavater, *La Physiognomonie, ou l'art de connaître les hommes d'après les traits de leur physionomie,* dont une traduction abrégée avait paru en 1845.

10. « Avec étourderie, maladresse » (Robert).

11. Bonhomet désigne ainsi, dans son langage obscur, les êtres qui sont unis avec lui par une relation d'analogie symbolique. Les physiognomonistes comme Lavater étudiaient les rapports unissant l'homme et les animaux. Ici, le poil dur et la longue oreille indiquent assez que le correspondant de Bonhomet dans le monde animal, c'est l'âne.

12. Ces éléments de chiromancie sont empruntés à l'ouvrage de Desbarrolles déjà cité. La conjonction de la Lune et de Mercure est, selon cet auteur, mauvaise : elle associe vilenie, paresse et lourdeur.

13. C'est-à-dire l'avenir que révèlent les lignes de cette main.

14. Vénus et Apollon, astres brillants, symboles de la beauté et du génie, sont ici voilés par les nuages : signe de l'absence chez Bonhomet de tout sens artistique.

15. C'est-à-dire « à un degré rare ».

16. Le mont de Vénus indique les capacités amoureuses du sujet. Chez Bonhomet, il est révélateur de velléités, d'hésitations, d'irrésolutions.

17. Peut-être parce que Desbarrolles indique que les Saturniens vivent volontiers dans les mines.

18. Poètes romantiques anglais de l'« école des lacs », comme Wordsworth ou Coleridge.

19. Le majeur.

20. Le Juif errant.

21. Biologiste italien (1729-1799). Il a étudié les infusoires (animaux microscopiques vivant dans les liquides) dans ses *Expériences pour servir à l'histoire de la génération* (1785).

22. « Il n'y a pas lieu de… » Les nombreuses expressions latines dont Bonhomet émaille ses discours témoignent de son pédantisme.

23. « Genre de coléoptère, dont une espèce, à l'état de larve, vit dans la farine. On dit aussi blatte. » (Littré.)

24. « Crasseux » (latinisme).

25. « Qui a la goutte aux mains » (Littré), c'est-à-dire sans doute « lourd », « maladroit ».

26. Cf. Voltaire, *Le Sottisier*, XXXII : « Si Dieu nous a faits à son image, nous le lui avons bien rendu. » Bonhomet proclame plus loin son « faible » pour Voltaire, le père de l'esprit positiviste.

27. « Le parcours de la vie. »

28. Visions prémonitoires qui annoncent la mort. C'est à l'époque de

Claire Lenoir que Villiers publie la première version du « conte cruel » qui porte ce titre (*Revue des Lettres et des Arts*, 29 décembre 1867, 5 et 12 janvier 1868). Ce rapprochement atteste l'intérêt accordé par Villiers dès cette période aux phénomènes métapsychiques et à l'occultisme.

29. Les éons sont, dans le vocabulaire des gnostiques, des puissances éternelles émanées de Dieu, par l'intermédiaire desquelles il exerce son action sur le monde.

30. Le diplomate corse Charles-André Pozzo di Borgo (1764-1842) s'est rendu célèbre dans l'histoire, comme Machiavel, par son habileté politique et son mépris des scrupules moraux. Sa haine envers Napoléon l'avait conduit à se faire l'agent secret des cours coalisées contre l'Empereur.

31. En médecine ou en biologie, la diagnose est la connaissance qui s'acquiert par l'étude des signes caractéristiques d'une maladie, d'une espèce, etc.

32. Nouvel emprunt à Baudelaire (*Un mangeur d'opium*, III).

33. Le *Wonderful* est aussi le nom du navire dans le naufrage duquel disparaîtra l'héroïne artificielle de *L'Ève future*. Il est curieux de constater que Villiers avait d'abord donné à sir Henry Clifton le prénom de Celian, qui sera celui de lord Ewald dans *L'Ève future*.

34. « Une légère ivresse » (Littré).

35. « Avec une gravité, une humilité feintes. » Villiers a forgé ce mot par collision entre « componction » et « onctueusement ».

36. « Légèrement ivre » (latinisme).

37. Surérogatoire : « qui est au-delà de ce qu'on est obligé de faire » (Littré).

38. Cette épigraphe remplace dans l'édition de 1887 une citation de Baudelaire. Elle est attribuée à l'héroïne de *L'Amour suprême*, conte publié en 1886 dans le recueil auquel il donne son titre, mais elle ne figure pas dans ce conte.

39. Ce quatrain n'apparaît dans aucun poème de Verlaine publié avant 1867. Il semble avoir été composé spécialement pour *Claire Lenoir*.

40. La « feuille locale » dont parle Bonhomet est le *Publicateur des Côtes-du-Nord,* numéro du 26 septembre 1863, dans lequel est rapportée l'anecdote suivante : « Un photographe anglais, M. Warner, a eu l'idée de reproduire sur le collodion l'œil d'un bœuf quelques heures après la mort. Examinant cette épreuve au microscope, il aperçut distinctement sur la rétine les lignes du pavé de l'abattoir, dernier objet qui avait affecté la vision de l'animal baissant la tête pour recevoir le coup de masse. [...] Si donc on reproduit par la photographie les yeux d'une personne assassinée, et si l'on opère dans les 24 heures du décès, on réfléchit sur la rétine au moyen du microscope l'image du dernier objet qui s'est présenté devant les yeux de la victime. » Voir à ce sujet J. Bollery, *La Bretagne de Villiers de l'Isle-Adam*, Saint-Brieuc, Les Presses bretonnes, 1961, p. 110.

41. « Tromperie de charlatan, annonce pour leurrer » (Littré).

42. Ces vers de Baudelaire ne se trouvent pas dans la partie des *Fleurs du mal* intitulée *Spleen et Idéal*, mais dans un poème recueilli dans les *Épaves*, *Les Yeux de Berthe*. Le texte exact de Baudelaire est « Grands yeux de mon enfant... »

43. Premier vers de *Solvet Seclum*, la pièce qui clôt les *Poèmes barbares*.

44. Début d'une énumération confuse et bouffonne : l'Illimani est un massif des Andes, au-dessus du lac Titicaca. Les mines de plomb argentifère de Poullaouën se trouvent en France, dans le Finistère.

45. Les Séminoles sont une tribu indienne de Floride. Jaggernaut, incarnation du dieu Vichnou, est représenté, au temple de Puri, par une statue de bois que l'on promène solennellement chaque année dans une grande procession de chars sculptés. On raconte que les fidèles fanatisés cherchaient à se jeter sous les roues des chars afin de se faire écraser.

46. « Tenir le dé dans la conversation, s'en rendre maître, la diriger » (Littré).

47. On aura reconnu l'œuvre de Wagner, pour laquelle Villiers professait une grande admiration. Voir sur ce point l'ouvrage d'A.W. Raitt, *Villiers de l'Isle-Adam et le mouvement symboliste*, Corti, 1965, p.101-142.

48. Dans *Tannhäuser*.

49. Les îles Chinchas sont situées dans l'océan Pacifique, au large des côtes du Pérou.

50. Le nom de ce personnage permet de reconnaître avec certitude, dans le « moraliste des îles Chinchas », le feuilletoniste Ponson du Terrail.

51. « L'ancien député » désigne évidemment Victor Hugo, député aux Assemblées constituante et législative, de 1848 à 1851. La première série de *La Légende des siècles* avait été publiée en 1859.

52. Edgar Poe, naturellement, l'un des auteurs que Villiers admirait le plus. Voir sur ce point A.W. Raitt, *op. cit.*, p.83-100.

53. Cette idée est exprimée à de nombreuses reprises dans l'Ancien Testament. Voir notamment *Isaïe* 38,18 ; *Psaumes* 6,6 ; 88,11 ; 115,17, etc.

54. « C'est un bel hymne à la gloire de Dieu que l'homme soit immortel. » Lactance, rhéteur et apologiste chrétien du III-IVe siècle après J.-C., a composé son *De la mort des persécuteurs* vers 315. Mais la phrase citée par Villiers ne s'y trouve pas. L'idée qu'elle exprime est, en revanche, fréquemment exposée dans un opuscule antérieur du même auteur, *De opificio Dei*. Villiers a cité à nouveau cette phrase dans *Axël* (Ire partie, Sc. VI).

55. On faisait « naviguer » les vins pour accélérer leur vieillissement.

56. Le bourrelet d'enfant était une « coiffure rembourrée qui protège la tête des enfants quand ils tombent » (Littré). Quant à Melchisédech,

personnage biblique, roi de Salem, c'est une figure mystérieuse qui semble préfigurer celle du Christ. Bonhomet veut sans doute dire, dans son langage obscur, que l'humanité moderne a su atrophier en elle le sens du surnaturel.

57. Muscles des mâchoires et des tempes. Villiers écrit par erreur *crotaphytes* pour *crotaphites*.

58. Villiers prête à Césaire Lenoir les goûts qui sont les siens vers 1866. Voir Raitt, *op. cit.*, p.190 sq.

59. Énumération dont le désordre prouve l'ignorance de Bonhomet en matière d'occultisme. Le Catalan Raymond Lulle (1235-1315) est le plus célèbre alchimiste de son temps. Guillaume Postel, orientaliste français du XVIe siècle, est un illuminé qui prêcha la réconciliation des Musulmans et des Chrétiens. Mesmer, médecin allemand (1734-1815) est célèbre pour ses recherches sur le magnétisme animal. Quant à Eliphas Lévi (pseudonyme de l'abbé Constant, 1810-1875), il avait publié en 1856 son très célèbre *Dogme et Rituel de la haute magie*, lu par Villiers en 1866, et qui est la principale source de l'érudition occultiste dans *Claire Lenoir*.

60. Nouvelle énumération confuse. L'abbé Trithème (1462-1516) est l'un des fondateurs de la Rose-Croix. Paracelse, son disciple (1493-1541) fut médecin et alchimiste. Jacques Gaffarel (1601-1681), orientaliste et écrivain mystique, auteur des *Curiosités inouïes* (1629), fut un érudit en sciences cabalistiques. Swedenborg (1688-1772), savant et théosophe suédois, s'était fait le prophète d'une connaissance illuminative du monde surnaturel. Jean Raynaud (1806-1863) est l'auteur de *Terre et Ciel* (1854), où se trouvent discutés les principaux points de la doctrine chrétienne. Villiers l'avait certainement lu. L'expression « enfer d'épuration », qui ne se trouve pas dans *Terre et Ciel*, désigne le Purgatoire.

61. Mirville et Kardek (ou plutôt Kardec) sont des occultistes contemporains de Villiers. Allan Kardec notamment, auteur du *Livre des esprits* (1857), est considéré comme le fondateur du spiritisme français. Quant à Crookes, le nom de ce savant anglais n'apparaît que dans l'édition de 1887. Il s'était rendu célèbre par ses recherches sur les phénomènes médiumniques. Plusieurs recueils de ses articles avaient paru en français, et Villiers avait consacré aux travaux du physicien anglais un compte rendu publié dans *Le Figaro* du 10 mai 1884 et recueilli dans *L'Amour suprême* (*Les Expériences du docteur Crookes*).

62. *Villiers avait lu la Mystique chrétienne* du philosophe allemand Görres (1776-1848), récemment traduite en français, lors d'une de ses retraites à l'abbaye de Solesmes en 1862.

63. J. de Sennevoy, baron Dupotet, disciple de Mesmer, avait fait de nombreuses expériences sur les propriétés curatives du magnétisme. Regazzoni, qui se qualifiait lui-même de « magnétiseur spiritualiste », avait publié en 1859 son *Nouveau Manuel du magnétiseur praticien*.

64. Toute l'érudition occultiste de ce passage est empruntée au *Dogme et Rituel de la haute magie* d'Eliphas Lévi. Le Pentagramme ou

Pentacle est une figure magique à cinq branches. Le Baphomet est une idole que les Templiers, prétendit-on, adoraient sous la forme d'un bouc. Il est représenté dans une planche hors texte du *Rituel de la haute magie*. Les «clavicules» sont des textes hermétiques attribués à Salomon. La théorie du corps sidéral (ou astral) sera commentée par Villiers au chapitre XIV de *Claire Lenoir*.

65. Césaire Lenoir représente ici, et dans les discussions qui vont suivre, le point de vue de l'idéalisme hégélien. Villiers s'est documenté dans l'*Introduction à la philosophie de Hegel* de Véra (le traducteur du philosophe allemand), et surtout dans la préface de la seconde édition (1864).

66. Le médecin Cabanis (1757-1808), membre du groupe des Idéologues, avait défendu dans ses *Rapports du physique et du moral de l'homme* (1802) le point de vue de la physiologie matérialiste. C'est dans cet ouvrage que Villiers a trouvé l'anecdote relative aux animaux enragés.

67. Bonhomet énumère ici les les plus célèbres représentants avec Hegel de l'idéalisme allemand : ceux qu'un positiviste doit considérer comme les plus détestables.

68. *Quis ut Deus?* : «Qui est comme Dieu?» *Non serviam!* : «Je ne me soumettrai pas.»

69. Les Vertus sont un des ordres de la hiérarchie céleste des anges.

70. Cette formule est de Cabanis. Villiers l'a trouvée dans la préface de l'*Introduction à la philosophie de Hegel* de Véra.

71. Éloqué : «parlé» (latinisme).

72. Formule de Cuvier, trouvée dans l'*Introduction* de Véra. Villiers la reprendra comme épigraphe d'un de ses «contes cruels», *Véra*.

73. Mot forgé par Villiers sur l'adjectif «ignare», par attraction du couple mignard/mignardise.

74. Profession de foi rédigée par les Pères du concile de Nicée (325) qui forme la base du *credo* chrétien.

75. Samuel Clarke (1675-1729), philosophe et théologien anglais, membre du clergé anglican. Il est l'auteur d'un *Traité de l'être et des attributs de Dieu* (1705).

76. Interrogats : «L'ensemble des questions adressées devant le tribunal à l'une des parties» (Littré).

77. Grat : «reconnaissant» (latinisme).

78. Société de Jésuites érudits, qui, à la suite de Jean Bolland (1596-1665), se sont attachés à l'édition critique des textes hagiographiques chrétiens *(Acta sanctorum)*.

79. Ou plutôt Lempe. E. Drougard a montré que l'anecdote vient des *Fragments philosophiques* de Victor Cousin.

80. Première strophe de *L'Ecclésiaste*, le troisième des *Poèmes barbares*.

81. Pierre-Augustin Béclard (1785-1825), chirurgien et anatomiste. Bichat (1771-1802), anatomiste, fondateur de l'histologie moderne, a publié en 1800 ses *Recherches physiologiques sur la vie et la mort*, d'où est tirée la célèbre définition que cite Villiers. William Harvey (1578-1657) découvrit la circulation du sang. Sur Broussais, voir ci-dessous note 140.

82. Cette formule du physiologiste matérialiste allemand Moleschott était célèbre. Villiers, comme l'a montré E. Drougard (éd. critique des *Trois premiers contes*, t. II, p. 101-102), avait pu la trouver dans *Le Matérialisme contemporain en Allemagne*, de Paul Janet (1864). Il aimait à la citer ironiquement, et en a fait, notamment, l'épigraphe du chapitre IV du 2e livre de *L'Ève future*.

83. Cette érudition physiologique provient essentiellement, comme l'indique E. Drougard (*op.cit.*, t. II, p. 99-101), d'une simple note de l'*Introduction à la philosophie de Hegel* de Véra.

84. C'est-à-dire Hegel.

85. E. Drougard a montré (*op.cit.*, t. II, p. 103-105) que ce discours philosophique s'inspire très précisément des dernières pages de l'*Introduction* de Véra.

86. C'est-à-dire *La Princesse de Babylone*. La citation est approximative, Villiers cite de mémoire. Voltaire a écrit : « La résurrection [...] est la chose du monde la plus simple. Il n'est pas plus surprenant de naître deux fois qu'une. »

87. « L'homme est double. » La « théorie des anciens » à laquelle fait allusion Bonhomet peut faire penser à la conception dualiste de l'homme, partagé entre la chair et l'esprit, telle qu'on la trouve chez saint Augustin, par exemple.

88. Villiers avait pu trouver l'exposé de la théorie du corps astral ou « corps sidéral » dans le *Dogme et Rituel de la haute magie* d'Eliphas Lévi. Le corps sidéral, pour les occultistes, est l'enveloppe du corps physique, subtile, invisible et composée d'énergie cosmique. Il est l'intermédiaire entre le monde matériel auquel appartient le corps physique, et le monde immatériel qui est celui de l'âme. Villiers donne cependant à cette expression un sens particulier dans la mesure où il s'agit ici d'opposer apparence (corps physique) et vérité (corps sidéral). Le corps sidéral apparaît à Villiers comme la forme, au sens platonicien du terme, l'idée, l'essence véritable d'un être dont le corps physique n'est que le masque.

89. Villiers reprend ici l'idée du physiognomoniste Lavater, selon lequel chaque type de physionomie humaine a son correspondant dans le règne animal.

90. La mort est le vestiaire où l'homme se dépouille de son vêtement charnel. L'expression se trouve chez Victor Hugo, *Les Contemplations*, VI, XXVI, *Ce que dit la Bouche d'ombre*, v. 196 : « le tombeau, sinistre vestiaire ».

91. *Exode*, 20,14 ; *Lévitique*, 20,10. Retour au thème inauguré dès l'épigraphe de *Claire Lenoir*.

92. Ville de Chypre célèbre par le culte qu'on y rendait à Aphrodite. Le « petit dieu malin » est évidemment le fils de celle-ci, Éros, dieu de l'amour.

93. Rotonde : « Caisse située sur le derrière de certaines diligences » (Littré).

94. E. Drougard, le premier (*op. cit.*, t. II, p. 118), s'est avisé que le nom de ce géographe imaginaire est copié sur celui du savant alchimiste Arne Saknussemm, personnage du *Voyage au centre de la terre* de Jules Verne.

95. Selon la mythologie grecque, Atalante avait déclaré qu'elle n'épouserait que l'homme qui saurait la vaincre à la course. Hippomène y parvint en lançant sur la piste, devant Atalante, trois merveilleuses pommes d'or que celle-ci ne put s'empêcher de ramasser.

96. Le doigt de Saturne, le majeur. Voir ci-dessus note 19.

97. Termes de médecine qui désignent un pouls à la fois saccadé et si faible qu'on ne le sent plus que comme un fil.

98. *Les Fleurs du mal*, CX, *Une martyre*, v. 35-36. Baudelaire a écrit « réjouissait ».

99. « La hideuse face des démons. »

100. Villiers a pu trouver cette anecdote dans le *Grand Dictionnaire* de Pierre Larousse (t. II, p. 1350, paru en 1867, l'année même de *Claire Lenoir*). Les paroles latines peuvent se traduire ainsi : « Réponds-moi » — « J'ai comparu. J'ai été jugé. Par une juste sentence de Dieu, j'ai été damné. »

101. Cham, second fils de Noé, est considéré dans la Bible comme l'ancêtre des Égyptiens et des Éthiopiens, et donc comme le fondateur de la race noire.

102. Appareil servant de générateur de courant électrique.

103. Instrument servant à éclairer et à examiner le fond de l'œil.

104. Villiers emprunte cette expression à Edgar Poe, dans *Le Puits et le pendule* (traduction Baudelaire).

105. Ignivome : « qui vomit du feu ». Villiers a trouvé vraisemblablement ce terme didactique dans *Voyage au centre de la terre*. Jules Verne l'utilise fréquemment.

LE SECRET DE L'ÉCHAFAUD

106. La première rencontre entre Villiers et les frères Goncourt eut lieu en septembre 1864. Elle est relatée dans le *Journal* des Goncourt en date du 12 septembre. Edmond de Goncourt n'estimait guère l'auteur des *Contes cruels*. Il note, au lendemain de la mort de Villiers, le 20 août 1889 : « Catulle Mendès disait aujourd'hui de Villiers de l'Isle-Adam qu'il était le plus grand *rêveur* du siècle. N'est-ce pas plutôt le plus grand *puffiste ?* »

107. Dans la quinzaine qui avait précédé la première publication du conte, dans *Le Figaro* du 23 octobre 1883, trois exécutions capitales avaient eu lieu successivement à Paris, Reims et Lyon.

108. Le docteur de La Pommerais, exécuté le 25 juin 1864 (et non le 9 comme l'affirme Villiers), pour avoir empoisonné sa belle-mère et sa maîtresse Mme de Pauw. Villiers avait déjà fait allusion à ce personnage, qui avait été en rapport avec son père, dans *Le Convive des dernières fêtes* (*Contes cruels*, édition GF Flammarion, p. 142-143). Mais il ne l'y avait désigné que par l'initiale de son nom.

109. Voir note 6. Comme Bonhomet, le docteur de La Pommerais est marqué du signe fatal de Saturne.

110. Alfred-Louis-Armand-Marie Velpeau (1795-1867), l'un des plus célèbres chirurgiens de son temps, professeur réputé de clinique chirurgicale. Il avait comparu au procès de La Pommerais en qualité de témoin.

111. Velpeau était membre de l'Académie des sciences depuis 1843. Il y avait succédé au baron Larrey (1766-1842), médecin militaire, chirurgien en chef de la Grande Armée.

112. La question de savoir si la sensibilité et la pensée subsistent après la décapitation avait provoqué à la fin du XVIIIᵉ siècle, dès les premières utilisations de la guillotine, de nombreuses controverses scientifiques. Le médecin allemand Soemmering et J.-J. Sue (le père d'Eugène) soutenaient que la pensée persistait dans la tête séparée du tronc. Sédillot et Bichat, au contraire, avaient réfuté cette opinion. Voir sur ce point P. Reboul, « Autour d'un conte de Villiers de l'Isle-Adam : *Le Secret de l'échafaud* », *Revue d'Histoire littéraire de la France*, juill.-sept. 1949, p. 239, note 2.

113. Jean-Sébastien-Eugène Julia Fontenelle (1790-1842), chimiste et médecin, auteur de nombreux ouvrages de vulgarisation scientifique.

114. Sorte de sabre dont la lame est en acier damassé.

115. Il peut s'agir de Pierre-Honoré Bérard (1797-1858) ou de son frère Auguste (1802-1846). Tous deux furent chirurgiens réputés et professeurs à la faculté de médecine.

116. Sans doute Charles-Auguste-Jean Michelot (1792-1866), ingénieur, inspecteur des écoles primaires, auteur de nombreux articles et ouvrages pour l'instruction élémentaire.

CATALINA

117. Littérateur, auteur d'ouvrages sur la musique, traducteur de la *Tétralogie* de Wagner.

118. Basquine : « Sorte de jupe riche et élégante que portent les femmes basques et espagnoles » (Littré).

119. Nopals : espèce de cactus appelés vulgairement figuiers de Barbarie, formant d'inextricables buissons épineux qui passent pour abriter des serpents.

LE TUEUR DE CYGNES

120. L'un des plus anciens et des plus fidèles amis de Villiers. Leur correspondance s'étend sur près de trente ans. Villiers lui avait déjà dédié *Sentimentalisme,* publié dans *La République des Lettres* du 20 janvier 1876, et repris dans les *Contes cruels*.

121. Villiers avait déjà mis en épigraphe à *L'Inconnue* (un des *Contes cruels*) ce « proverbe ancien » : « Le cygne se tait toute sa vie pour bien chanter une seule fois. » Bonhomet se propose ici de vérifier cette légende.

122. Sur le culte que Villiers vouait à Wagner, voir note 47.

123. Adjectif ironiquement créé par Villiers, par contamination de « gigantesque » et de « colossal ».

124. Atterrages : « Terme de marine. L'approche de la terre » (Littré). Villiers semble ici prendre ce terme improprement au sens de « berges ».

125. Cavatine : « Sorte d'air, d'ordinaire assez court, que l'on ne répète pas et qui se rencontre souvent dans un récitatif obligé » (Littré).

126. La surface unie de l'eau est « abolie », parce qu'elle est troublée par le mouvement de Bonhomet.

LE JEU DES GRÂCES

127. Voir note 117.

128. Le titre *Entretiens* ne renvoie pas à une œuvre publiée de Mallarmé, mais fait sans doute allusion à une conversation que celui-ci avait eue avec Villiers, peut-être lors d'un de ses célèbres « mardis ».

129. Orléans : « Sorte d'étoffe légère en laine et coton » (Littré).

130. Artémise, sœur et femme de Mausole, satrape de Carie, avait fait élever à son mari, à la mort de celui-ci (353 av. J.-C.) un magnifique monument funéraire, le Mausolée, qui fut mis au nombre des sept merveilles du monde. Elle est restée dans l'histoire comme le type de la veuve exemplaire.

LES PHANTASMES DE M. REDOUX

131. Secrétaire de rédaction à *La Jeune France*, revue dans laquelle Villiers avait publié *Axël*, de novembre 1885 à juin 1886. Sur Rodolphe Darzens, voir A.W. Raitt, *op.cit.,* p. 351-356.

132. Xavier Aubryet (1823-1880), critique, chroniqueur, fantaisiste, collabora à de nombreuses revues littéraires. Il était réputé pour sa verve et son esprit paradoxal. Villiers l'avait certainement rencontré dans les milieux de la presse où les deux hommes fréquentaient.

133. Le terme médical de « phantasme », qui apparaît dans la première moitié du XIXe siècle, avec les débuts de la psychiatrie scientifique, avait à l'époque de Villiers le sens précis d'« hallucination visuelle ». Villiers lui donne un sens plus large et plus moderne, celui d'obsession de l'imagination, qui tend à se réaliser.

134. Turlutaine : « manie, marotte » (Littré).

135. Le fameux musée de cire londonien de Madame Tussaud, établi à Baker Street depuis 1835, comprend effectivement une chambre des horreurs où l'on peut contempler les masques funéraires des grandes victimes de la Révolution française, Louis XVI, Marie-Antoinette en particulier. On peut y voir aussi une guillotine ayant fonctionné sous la Terreur, même si ce n'est pas celle qui servit à l'exécution de Louis XVI. Villiers avait pu visiter le musée Tussaud lors de son séjour à Londres en 1873-1874.

136. Mot forgé par Villiers sur le néologisme « actualité » pour désigner ironiquement les opinions progressistes et démocratiques.

137. Prêtre irlandais, confesseur de Louis XVI, qui assista le roi dans ses derniers moments, et lui adressa, dit-on, cette phrase demeurée célèbre : « Fils de Saint Louis, montez au ciel ! »

138. Le comte de Chambord, prétendant légitimiste au trône de France, mourut à Frohsdorf, en Autriche, le 24 août 1883.

L'HÉROISME DU DOCTEUR HALLIDONHILL

139. Directeur des éditions Quantin, qui allaient publier en 1888 les *Histoires insolites*. C'est dans ce recueil de contes que prendra place *L'Héroïsme du docteur Hallidonhill*.

140. François Broussais, illustre médecin mort en 1838. Auteur de la théorie de la « médecine physiologique », il voyait dans l'irritation des tissus l'origine unique des maladies. Il était célèbre pour son caractère despotique, et la formule que lui attribue Villiers exprime, par un raccourci saisissant, la brutalité légendaire de ses méthodes. On peut remarquer que cette maxime a été mise en pratique par Bonhomet sur la personne de son ami Césaire (*Claire Lenoir*, Ch. XV).

141. Instrument utilisé par les phtisiologues du siècle dernier. Il s'agissait d'une petite plaque, appliquée sur la région à examiner, et sur laquelle on frappait avec un petit marteau ou avec le doigt.

142. Anhélation : « Respiration courte et fréquente, essoufflement » (Littré).

143. Ce mot, sans doute créé par Villiers, semble une contamination des verbes latins « exspumo » : « suppurer », et « exspuo » : « cracher ».

144. On a longtemps attribué au cresson une efficacité miraculeuse contre les maladies de poitrine. Le *Grand Dictionnaire* de Pierre Larousse (t. V, 1869) rapporte la guérison extraordinaire d'un jeune malade nourri exclusivement de cette plante.

145. Witchûra : « Vêtement garni de fourrure, que l'on met par-dessus ses habits » (Littré).

LES AMANTS DE TOLÈDE

146. Un des plus fidèles amis de Villiers vers la fin de sa vie. Ce dernier lui avait déjà dédié *L'Agence du chandelier d'or* (un des contes de *L'Amour suprême*).

147. Siège du tribunal inquisitorial du Saint-Office, chargé de la répression de l'hérésie. Dans *La Torture par l'espérance*, il est question de l'Official de Saragosse.

148. Exsurgeaient : « s'élevaient » (latinisme).

149. Officiers de l'Inquisition, sorte de police bénévole au service du Saint-Office.

150. Torquemada est mort en 1498, à l'âge de 78 ans.

151. Premier Inquisiteur général d'Espagne (1485-1494), célèbre pour son austérité, sa rigueur et sa dureté. Villiers avait déjà fait allusion, dans *Le Convive des dernières fêtes*, aux « rêveries de Torquemada ou d'Arbuez » (*Contes cruels*, GF Flammarion, p. 149). Sur Arbuez, voir note 183. Victor Hugo venait de publier en 1882 son drame *Torquemada*.

CE MAHOIN !

152. Peintre aquarelliste d'origine anglaise. Villiers l'avait rencontré chez Nina de Villard, qui tenait un célèbre salon littéraire.

153. Ce curieux nom propre, que Villiers utilise le plus souvent comme un nom commun (« ce Mahoin », « l'affreux Mahoin ») est peut-être à rapprocher de l'ancien français « mahaing », « méhaing », « mutilation », allusion « à la fois à la cruauté sadique du personnage et à sa décapitation finale.

154. Ce mot rare avait déjà été employé par Villiers dans *Deux augures* (*Contes cruels*, édition GF Flammarion, p. 71). Il semble un doublet archaïque de mauvais.

155. Création de Villiers, ce mot évoque à la fois par onomatopée le grognement du sanglier, et par homonymie le groin de l'animal.

156. Ragot : « Sanglier qui a quitté les compagnies, et qui n'a pas encore trois ans » (Littré).

157. Ville de Belgique, faubourg de Bruxelles.

L'AGRÉMENT INATTENDU

158. Mallarmé fut l'un des plus anciens et des plus dévoués amis de

Villiers. G.-J. Aubry a évoqué l'« amitié exemplaire » qui unissait les deux hommes. Villiers avait déjà dédié à Mallarmé *La Machine à gloire* (*Contes cruels*).

CONTE DE FIN D'ÉTÉ

159. Directeur de la *Revue illustrée*, dans laquelle Villiers avait publié le 1er août 1886 *La Légende de l'éléphant blanc*, conte recueilli dans *L'Amour suprême*.

160. Cette référence semble de pure fantaisie, puisqu'on ne trouve guère de philosophes néo-platoniciens entre le IXe siècle (Jean Scot Érigène) et les mystiques allemands du XIVe (Maître Eckhart et Jean Tauler).

161. La marquise du Deffand (et non Deffant comme l'écrit Villiers) a tenu l'un des plus célèbres salons littéraires du XVIIIe siècle, où fréquentèrent Fontenelle, Marivaux, Montesquieu et les Encyclopédistes.

162. Marie-Magdeleine de la Vieuville, comtesse de Parabère (1693-1750), ancienne dame d'atours de la duchesse de Bourgogne, devint la maîtresse en titre du Régent.

163. Rubéfie : « rougit » (latinisme).

164. Céladon : « Familièrement, et ordinairement avec ironie, amant délicat et langoureux » (Littré).

165. Falot : « Plaisant, drôle, grotesque » (Littré).

166. Étoffe de soie sans lustre et unie.

167. D'un gris foncé tirant sur le brun, d'une couleur semblable à celle des habits des moines minimes.

168. C'est-à-dire que les ornements (« agréments ») de ces robes de chambre ont la couleur roux clair du tabac d'Espagne, tabac à priser parfumé utilisé au XVIIIe siècle.

169. Terme de spiritisme. Le fluide « médianimique » unit le corps physique au monde immatériel des esprits.

LES DÉLICES D'UNE BONNE ŒUVRE

170. Un des vieux amis de Villiers, homme de lettres sous le pseudonyme de Henry Laujol, et futur directeur des Beaux-Arts. Villiers lui avait déjà dédié *Les Brigands*, recueilli dans les *Contes cruels*.

171. « Aumône », en grec. N.T. désigne le Nouveau Testament.

172. « D'un air plein de componction » (latinisme).

173. Stylite : « Surnom donné à quelques solitaires chrétiens qui avaient placé leurs cellules au-dessus de portiques ou de colonnes » (Littré).

174. Dans cette célèbre diva, il faut peut-être reconnaître Fortunata Tedesco, cantatrice italienne, née à Mantoue en 1826, et qui avait obtenu à l'Opéra de Paris de grands triomphes. Elle y avait joué notamment le rôle de Vénus en 1861 lors des houleuses représentations de *Tannhäuser* auxquelles Villiers avait (ou prétendait avoir) assisté. Mais elle s'est retirée de la scène en 1866, et le conte date de 1887...

175. Lovelace : « Elégant séducteur de femmes » (Littré). C'est le nom d'un personnage de la *Clarisse Harlowe* de Richardson.

L'INQUIÉTEUR

176. Directeur du *Gil Blas*, journal dans lequel Villiers a publié la plupart des contes recueillis en 1888 dans les *Histoires insolites*.

177. Cette formule ne se trouve pas exactement dans *L'Ecclésiaste*, mais elle en résume l'esprit général. Villiers, comme souvent, cite de mémoire. La philosophie hautaine et désenchantée de celui que la tradition identifie avec Salomon plaisait à Villiers, qui a placé une phrase du même genre en exergue au Ch. II du livre V de *L'Ève future*. En tête de *L'Annonciateur* (un des *Contes cruels*) il cite encore la même formule, mais en hébreu cette fois.

178. Une des nombreuses formules créées par Villiers pour railler l'esprit moderne, positiviste et progressiste. Voir de même le banquet des « éventualistes » (dans *Tribulat Bonhomet*) ou le parti « actualiste-libéral » dans *Les Phantasmes de M. Redoux*.

179. Tardigrade : « Terme de zoologie. Qui marche avec lenteur » (Littré).

180. Bréhaigne : « Stérile, en parlant des femelles des animaux domestiques » (Littré).

181. Les moxas étaient des substances combustibles que dans l'ancienne médecine on faisait brûler lentement sur la peau pour servir de révulsif ou cautériser.

LA TORTURE PAR L'ESPÉRANCE

182. Membre du cabinet du ministre belge de l'Intérieur et de l'Instruction publique, qui s'occupa d'organiser pour Villiers une tournée de conférences en Belgique, en février-mars 1888.

183. Inquisiteur principal de l'archevêché de Saragosse au XVe siècle. Voir note 151.

184. Voir note 149.

185. Othoniel (ou Othniel) n'est pas le dernier juge d'Israël, comme l'affirme Villiers, mais le premier. Voir *Juges*, 3, 9-11. Sa femme, d'après la Bible, ne s'appelle pas Ipsiboé (en grec : « celle qui crie fort »), mais Acsa (*Juges*, 1, 13, *Josué*, 15, 16-17). Villiers prend fréquemment quelques libertés avec les Écritures.

186. Emploi inusité de ce terme comme synonyme de gâche, sans doute sous l'influence d'écrou, «inscription sur le registre d'une prison».

187. *Veni foras:* «Viens dehors!» Paroles par lesquelles Jésus ordonne à Lazare de sortir de son tombeau (*Jean,* 11, 43).

L'ÉTONNANT COUPLE MOUTONNET

188. Ami de Charles Cros, de Rimbaud, de Debussy, Henri Mercier avait dirigé en 1874 l'éphémère *Revue du monde nouveau,* où parut le texte préoriginal de l'un des *Contes cruels, Le Convive des dernières fêtes.*

189. Fouquier-Tinville (1746-1795), accusateur public au Tribunal révolutionnaire sous la Terreur, symbole de la rigueur impitoyable.

190. Fagots : «Il se dit pour contes fagotés, pour récit de choses peu importantes, et aussi pour bourdes» (Littré).

191. Henri Sanson (1767-1840) bourreau de Paris sous la Terreur.

192. Étoffe de soie à gros grains fabriquée à Naples.

NOTE SUR LA PRÉSENTE ÉDITION

Nous avons respecté dans cette édition la graphie originale de Villiers.

L'ordre des contes retenu dans la présente édition est celui des publications préoriginales. Voici dans quels journaux ou revues ont paru pour la première fois les textes rassemblés ici. Nous indiquons chaque fois entre parenthèses le titre du recueil dans lequel le conte a trouvé place. Le texte que nous adoptons est celui de la première publication en volume.

1. *Claire Lenoir : Revue des Lettres et des Arts*, 13 octobre 1867-1er décembre 1867 (huit feuilletons) *(Tribulat Bonhomet)*.

2. *Le Secret de l'échafaud : Le Figaro*, 23 octobre 1883 *(L'Amour suprême)*.

3. *Catalina : La Journée*, 23 et 24 novembre 1885 (titre : *L'Épouvantement*) *(L'Amour suprême)*.

4. *Le Tueur de cygnes : Le Chat noir*, 26 juin 1886 *(Tribulat Bonhomet)*.

5. *Le Jeu des grâces : Gil Blas*, 29 novembre 1886 *(Histoires insolites)*.

6. *Les Phantasmes de M. Redoux : Gil Blas*, 22 décembre 1886 *(Histoires insolites)*.

7. *L'Héroïsme du docteur Hallidonhill : Gil Blas*, 8 janvier 1887 *(Histoires insolites)*.

8. *Les Amants de Tolède : Gil Blas*, 12 juillet 1887 *(Histoires insolites)*.

9. *Ce Mahoin! : Revue indépendante*, 1er août 1887 *(Histoires insolites)*.

10. *L'Agrément inattendu : Gil Blas*, 6 août 1887 *(Histoires insolites)*.

11. *Conte de fin d'été : Revue indépendante*, 1er novembre 1887 *(Histoires insolites)*.

12. *Les Délices d'une bonne œuvre : Gil Blas*, 22 décembre 1887 *(Histoires insolites)*.

13. *L'Inquiéteur : Gil Blas*, 31 décembre 1887 *(Histoires insolites)*.

14. *La Torture par l'espérance ; Gil Blas*, 13 août 1888 *(Nouveaux contes cruels)*.

15. *L'étonnant Couple Moutonnet : La Vie pour rire*, 17 novembre 1888 *(Chez les passants)*.

Les recueils dans lesquels figurent les contes de notre édition ont été publiés aux dates suivantes :

L'Amour suprême : juillet 1886 (Maurice de Brunhoff).

Tribulat Bonhomet : mai 1887 (Tresse et Stock).

Histoires insolites : février 1888 (Quantin).

Nouveaux Contes cruels : novembre 1888 (Librairie illustrée).

Chez les Passants : février 1890 (Comptoir d'éditions).

BIBLIOGRAPHIE

I. Œuvres de Villiers de l'Isle-Adam :

a. Œuvres complètes :

La seule édition à peu près complète des œuvres de Villiers est encore celle des *Œuvres complètes*, Mercure de France, 11 volumes, 1914-1931. Une édition des Œuvres de Villiers est en préparation dans la Bibliothèque de la Pléiade (éditions Gallimard), par les soins de P.-G. Castex et A.W. Raitt.

Des *Œuvres* choisies de Villiers ont été publiées et présentées par J.-H. Bornecque au Club français du livre, 1957. Une anthologie des *Contes fantastiques* de Villiers a été publiée en 1965 aux éditions Flammarion, avec un avant-propos d'Henri Parisot.

b. Éditions particulières :

(Nous nous limitons aux recueils auxquels appartiennent les contes rassemblés dans la présente édition.)

Contes cruels. Nouveaux Contes cruels, édition P.-G. Castex, Classiques Garnier, 1968.

Nouveaux Contes cruels, suivis de *L'Amour suprême*, Librairie José Corti, 1962.

L'Amour suprême, Humanoïdes associés, 1979.

Chez les Passants, éd. Plasma, 1979.

Tribulat Bonhomet, introduction de P.-G. Castex et J.-M. Bellefroid, Librairie José Corti, 1967.

Tribulat Bonhomet, Bibliothèque Marabout, éd. Gérard & Cie, Verviers, 1973.

II. Études sur Villiers de l'Isle-Adam :

a. Études générales :

VAN DER MEULEN (C.J.C.), *L'Idéalisme de Villiers de l'Isle-Adam*, Amsterdam, 1925.

DAIREAUX (Max), *Villiers de l'Isle-Adam*, Desclée de Brouwer, 1936.

LEBOIS (André), *Villiers de l'Isle-Adam, révélateur du Verbe,* Messeiller, Neuchâtel, 1952.

RAITT (A.W.), *Villiers de l'Isle-Adam et le mouvement symboliste,* Corti, 1965.

BORNECQUE (J.-H.), *Villiers de l'Isle-Adam, créateur et visionnaire,* Nizet, 1974.

b. Études particulières :

DROUGARD (E.), *Villiers de l'Isle-Adam, les trois premiers contes,* édition critique, 2 vol., Les Belles Lettres, 1931. (Au t. II, p.7-140, étude fondamentale sur les sources de *Claire Lenoir*.)

Sur le « fantastique » de Villiers et ses rapports avec l'insolite, on pourra consulter :

CASTEX (P.-G.), *Le Conte fantastique en France de Nodier à Maupassant*, Corti, 1951 (p. 345-364 étude sur « Villiers de l'Isle-Adam et sa cruauté »).

PICARD (Michel), « Notes sur le fantastique de Villiers de l'Isle-Adam », *Revue des Sciences humaines,* juill.-sept. 1959, p. 315-326.

SCHMIDT (Albert-Marie), « Villiers, écrivain fantastique ? », *La Quinzaine littéraire,* 15 mars 1966.

RAITT (A.W.), « Villiers de l'Isle-Adam et le fantastique », *Cahiers de l'Association internationale des études françaises,* n° 32, mai 1980, p. 221-229.

Études portant sur un conte en particulier :

CASTEX (P.-G.), « Villiers de l'Isle-Adam au travail »,
Revue des Sciences humaines, avril-juin 1954, p. 175-
197 (sur *La Torture par l'espérance* et *Le Jeu des
grâces,* notamment).

REBOUL (P.), « Autour d'un conte de Villiers de l'Isle-
Adam, *Le Secret de l'échafaud* », *Revue d'histoire littéraire de la France,* juill.-sept. 1949, p. 235-245.

CHRONOLOGIE

1838 : Jean-Marie-Mathias-Philippe-Auguste de Villiers de L'Isle-Adam, fils du marquis Joseph-Toussaint, naît à Saint-Brieuc le 7 novembre.

1846 : Mlle de Kérinou, grand-tante maternelle de Villiers, s'installe à Lannion, entraînant à sa suite toute la famille, dont elle sera, jusqu'à sa mort en 1871, le soutien moral et financier. La même année, une séparation de biens, motivée par les spéculations extravagantes et les dettes du marquis, est prononcée entre les parents de Villiers.

1847-1855 : Études irrégulières du jeune Villiers dans divers établissements scolaires de Bretagne, ou avec des précepteurs à domicile ; elles n'aboutissent à aucun diplôme universitaire.

1855-1858 : Premiers séjours du jeune homme à Paris. Il fréquente les cafés, les milieux du théâtre, fait ses débuts en littérature (*Deux essais de poésie*, juillet 1858).

1859 : La famille Villiers-Kérinou s'installe à Paris. Villiers fréquente chez son cousin Hyacinthe du Pontavice de Heussey, qui l'initie à la philosophie hégélienne. Il fait la connaissance de Baudelaire. Début de sa collaboration à de petites revues littéraires et artistiques. Publication d'un recueil de vers, les *Premières Poésies*.

1862 : Publication du roman *Isis* (à cent exemplaires et à compte d'auteur). Premier séjour d'une semaine à l'abbaye de Solesmes, imposé à Villiers par sa famille pour l'arracher aux désordres des milieux « artistes » de la capitale. Un second séjour aura lieu en 1863.

1864 : Villiers fait la connaissance de Mallarmé, qui restera, jusqu'à la fin, son meilleur et son plus fidèle ami.

1865 : Publication hors commerce d'*Elën*, drame en trois actes et en prose.

1866 : Publication hors commerce de *Morgane*, drame en cinq actes et en prose. Villiers collabore au *Parnasse contemporain*. Projets de mariage avec Estelle Gautier, fille cadette de Théophile Gautier, qui n'aboutiront pas.

1867 : 1er octobre : Villiers fonde la *Revue des Lettres et des Arts*, qui paraîtra jusqu'au 29 mars de l'année suivante. Il y publie notamment *Claire Lenoir*.

1869 : Juillet-septembre : voyage en Allemagne, en compagnie de Catulle Mendès et de sa femme. Au passage, Villiers rend visite à Wagner, en Suisse, à Triebschen.

1870 : *La Révolte,* drame en un acte en prose, est jouée au Théâtre du Vaudeville et publiée en librairie. En juin-juillet, nouveau voyage en Allemagne, et nouvelle visite à Wagner. En août, séjour chez Mallarmé à Avignon.

1871 : En mai, Villiers collabore, sous le pseudonyme de Marius, à une feuille communarde, *Le Tribun du peuple*.

1872 : La première partie d'*Axël,* drame en prose, paraît dans *La Renaissance littéraire et artistique*.

1873 : En décembre, voyage à Londres, dans l'espoir d'épouser une riche Anglaise. Échec de ce projet matrimonial et retour à Paris en janvier 1874.

1875 : Afin de participer à un concours organisé pour commémorer le centenaire de l'indépendance des États-Unis, Villiers écrit un drame, *Le Nouveau Monde*, qui obtiendra le deuxième prix (le premier prix n'ayant pas été décerné).

1880 : Publication en librairie du *Nouveau Monde*. *L'Ève nouvelle,* premier état de *L'Ève future,* paraît en feuilletons, d'abord partiellement dans *Le Gaulois* (livre premier), puis, presque totalement, dans *L'Étoile française* (15 décembre 1880-4 février 1881).

1881 : Villiers se présente sans succès comme candidat légitimiste aux élections municipales dans le XVIIe arrondissement de Paris. Le 10 janvier, naissance du fils de Villiers et de Marie Dantine, Victor, qui mourra sans descendance en 1901. *Le Prétendant*, version remaniée de *Morgane,* est refusé par la Comédie-Française.

1882 : Le 12 avril, mort de la mère de Villiers.

1883 : Publication en librairie des *Contes cruels*. Première représentation du *Nouveau Monde* au Théâtre des Nations. Début d'une collaboration régulière au *Figaro*.

1884 : Villiers se lie avec Huysmans et Léon Bloy. Début d'une collaboration régulière au *Gil Blas*.

1885 : *L'Ève future* paraît en feuilletons dans *La Vie moderne* jusqu'en mars 1886, et *Axël* dans *La Jeune France,* jusqu'en juin 1886. Mort du père de Villiers.

1886 : Publication en librairie de *L'Ève future*, roman, d'*Akëdysséril,* conte, et de *L'Amour suprême*, recueil de contes.

1887 : Publication en librairie de *Tribulat Bonhomet*, recueil où prend place *Claire Lenoir*. Première représentation de *L'Évasion*, drame en un acte en prose, au Théâtre Libre d'Antoine.

1888 : En février-mars, tournée de conférences en Belgique. Publication en librairie de deux recueils de contes, *Histoires insolites* et *Nouveaux Contes cruels*.

1889 : Aggravation de l'état de santé de Villiers, qui souffre d'un cancer de l'estomac. Le 12 août, il entre à l'hospice des frères de Saint-Jean-de-Dieu à Paris. Le 14 août, il épouse *in extremis* Marie Dantine et légitime son fils Victor. Il meurt le 18 août à onze heures du soir.

1890 : Publication posthume en librairie d'*Axël*, drame en quatre parties, en prose, et de *Chez les passants*, recueil de contes et de textes en prose.

JUGEMENTS

« Le grand ouvrier du verbe, la tête oscillant entre les épaules, retirant sa main ducale de la poche du pardessus pour jeter n'importe où son chapeau, puis relevant de l'autre main la mèche argentée pendant sur son front, il parlait. Et rarement on interrompait l'enchanteur. Cet homme que beaucoup de ses contemporains ont représenté comme une sorte d'hurluberlu perdu dans sa rêverie, avait autour de lui, d'un coup d'œil, tout vu et tout évalué, les choses et les hommes. Les regards de ses prunelles bleu pâle entraient dans le monde extérieur jusqu'à sa plus lointaine intimité... »

(Victor-Émile Michelet,
« *Les Compagnons de la Hiérophanie :*
Villiers de l'Isle-Adam. »)

« L'idéalisme de Villiers était un véritable idéalisme verbal, c'est-à-dire qu'il croyait vraiment à la puissance évocatrice des mots, à leur vertu magique (...) Il prenait à la lettre la formule de saint Thomas-d'Aquin, je crois : *Verba efficiunt quod significant* [1]. Cela lui permit de vivre, non pas heureux, mais fier, parmi les magnificences de ses rêves et les cruautés de son ironie. »

(Remy de Gourmont,
Promenades littéraires
« Un carnet de notes sur Villiers de l'Isle-Adam »)

« Et cependant, lorsqu'il était dans ces dispositions

_____
1. « Les mots réalisent ce qu'ils expriment. »

d'esprit, toute littérature lui semblait fade après ces terribles philtres importés de l'Amérique [1]. Alors, il s'adres-
sait à Villiers de l'Isle-Adam, dans l'œuvre éparse duquel
il notait des observations encore séditieuses, des vibrations encore spasmodiques, mais qui ne dardaient plus, à
l'exception de sa Claire Lenoir du moins, une si boule-
versante horreur.

« Parue en 1867, dans la *Revue des lettres et des arts,*
cette Claire Lenoir ouvrait une série de nouvelles compri-
ses sous le titre générique d'« Histoires moroses ». Sur un
fond de spéculations obscures empruntées au vieil Hegel,
s'agitaient des êtres démantibulés, un docteur Tribulat
Bonhomet, solennel et puéril, une Claire Lenoir, farce et
sinistre, avec les lunettes bleues, rondes et grandes
comme des pièces de cent sous, qui couvraient ses yeux à
peu près morts.

« ... ce conte dérivait évidemment de ceux d'Edgar
Poe, dont il s'appropriait la discussion pointilleuse et
l'épouvante. »

(Huysmans, *A Rebours,*
Chapitre XIV.)

« ... Ce soir-là, Villiers était particulièrement en verve.
Il improvisa des récits qui bondissaient du cycle tragique
au délire bouffon. Il donnait l'impression d'être triple-
ment vivant. Il l'était en effet, puisque son esprit s'évertuait sur plusieurs plans à la fois.

« Bien tard dans la nuit, il parlait encore. Il continuait
dans la rue quand je le reconduisis jusqu'à sa porte. Et ce
soir-là, il avait bien travaillé. Car ce grand prodige de
l'esprit avait appliqué sa méthode de travail qui consistait
à dégrossir le bloc de sa conception première en lui
donnant une première forme parlée devant ses amis... »

(Michelet,
Les Compagnons de la Hiérophanie :
« Dordon aîné ».)

---

1. Il s'agit d'Edgar Poe.

CHAMPS DE LECTURES [1]

Villiers n'est pas de ceux qui font les belles pages des manuels d'histoire littéraire. Son ami Remy de Gourmont, autre écrivain méconnu de cette « fin de siècle », constatait déjà cette discrétion involontaire et imméritée. Il ébauche dans ses *Promenades littéraires* un portrait assez vivant de Villiers à travers des anecdotes qui révèlent son ironie et son humour, qualités si inhérentes à l'auteur qu'elles imprègnent toutes ses nouvelles.

Certes, son génie ne passa pas inaperçu ; il connut quelque notoriété en 1886 et eut de fidèles amis, parmi les plus célèbres : Mallarmé, Huysmans, Gautier. Mais il connut surtout des moments difficiles ; voici comment le décrivit Paul Claudel qui le rencontra chez Mallarmé en 1887 :

« Villiers de l'Isle-Adam est petit, de grands cheveux qu'il fait frisotter, une tête énorme. Il a de cinquante à cinquante-cinq ans, mais il en paraît beaucoup plus ; il est usé, fini, à la veille de la mort. Il est dans une gêne extrême, il doit courir d'une salle de rédaction à l'autre pour réussir à placer, de très loin en très loin, quelque fantaisie funambulesque et profonde... Le malheur est qu'il se disperse trop. D'une pensée forte, avec des intuitions surprenantes, sa raison profonde est unie à une sensibilité maladive, qu'un rien détourne, qu'aucune volonté ne conduit. Très affable, d'une société charmante, plein d'idées et de fantaisie, il est homme à parler sans

1. Ce dossier a été rédigé par Chantal GROSSE, agrégée de lettres, professeur au lycée Guillaume-Budé (Académie de Créteil).

arrêt, de huit heures du soir à deux heures du matin, passant d'une idée, d'un mot à un autre, et ne souffrant pas qu'on l'interrompe… »

Hurluberlu illuminé pour les uns, génial visionnaire pour d'autres, Villiers est un esprit toujours en éveil, toujours en quête. Sa soif d'idéalisme s'abreuve aux sources de la franc-maçonnerie, de la musique wagnérienne, de la philosophie allemande, de la religion chrétienne. Il s'affirme romantique (« Il y a les romantiques et les imbéciles », déclare-t-il), on le dira symboliste et même décadent. Ses amitiés expliquent ces étiquettes et il serait schématique de classer un esprit si original. Mais on peut mieux le comprendre en précisant ses rapports avec son siècle et ses parentés intellectuelles et littéraires.

UNE FIN DE SIÈCLE

La fin du XIXe siècle connaît le progrès : essor de la science, mais aussi de l'industrialisation qui permet l'épanouissement de la bourgeoisie d'affaires. C'est le triomphe du rationalisme positiviste, de l'utilitaire, du pragmatique sur l'idéalisme romantique et le rêve, triomphe déjà symbolisé par la déroute des Bovary et la victoire d'Homais (voir le dernier paragraphe du roman de Flaubert). L'insupportable Bêtise, dénoncée par Baudelaire, stigmatisée par Flaubert dans le *Dictionnaire des idées reçues* et dans *Bouvard et Pécuchet,* semble accroître le nombre de ses serviteurs.

Tout cela, à quoi s'ajoutent des déceptions politiques (guerre de 70 — scandale de Panama — crises de la Troisième République) provoque chez les intellectuels et les artistes des mouvements de révolte qui ont noms : Décadentisme et Symbolisme.

Le Décadentisme.

Chez les écrivains décadents, la révolte se traduit souvent par une fuite écœurée. Les personnages de leurs romans se réfugient dans l'Art et s'épuisent en des émotions esthétiques de plus en plus recherchées. Des Esseintes, le héros de *A Rebours* (cette œuvre de Huysmans parue en 1884 devint la Bible du décadent), se construit à l'écart du monde une thébaïde raffinée où il peut cultiver à loisir ses extravagances cérébrales. D'autres, conscients d'être une fin de race dans un monde en décomposition, sombrent dans les névroses à force de collectionner les sensations bizarres, dépravées et perverses; les maladies nerveuses sont à la mode, l'hérédité est fatale (surtout depuis Zola) : même Tribulat Bonhomet n'y échappe pas (*Claire Lenoir,* p. 30). On pourrait d'ailleurs voir dans le Tueur de Cygnes la version bourgeoise et parodique de ces héros à la recherche de sensations rares et pour qui la cruauté est un piment excitant.

Villiers n'appartient pas à ce mouvement. Pourtant n'est-il pas lui-même une fin de race, et n'est-ce pas à lui que pense Huysmans, son ami, quand il décrit des Esseintes :

« ... un grêle jeune homme de trente ans, anémique et nerveux, aux joues caves, aux yeux d'un bleu froid d'acier, au nez éventé, et pourtant droit, aux mains sèches et fluettes, et qui par un singulier phénomène d'atavisme ressemblait à l'antique aïeul, au mignon, dont il avait la barbe en pointe d'un blond extraordinairement pâle... » ?

Comme les décadents, Villiers est l'héritier d'un romantisme agonisant qui doit beaucoup à Baudelaire.

Il méprise les doctrines bourgeoises du XIXe siècle : mercantilisme, progrès, sens de l'utile, industrialisation. Il dénonce l'utilisation commerciale des progrès scientifiques *(Le Jeu des grâces);* on spécule sur les sentiments les plus sacrés *(L'Inquiéteur);* et le moraliste qu'est Villiers trace un portrait peu flatteur ou trop réaliste de la nature humaine qui rend possible une telle spéculation; il a d'ailleurs, comme les décadents, après Baudelaire et les Naturalistes, exhumé la Bête ou le Monstre enfouie dans l'homme (Césaire Lenoir — Le Couple Moutonnet).

Il souligne encore le caractère révoltant de certaines expériences *(Le Secret de l'échafaud),* et les excès grotesques des « Outranciers de la Science » *(L'Héroïsme du docteur Hallidonhill);* le savoir que l'on croit détenir grâce à elle peut conduire au matérialisme le plus simpliste (Tribulat Bonhomet).

D'autre part, il éprouve lui aussi une horreur légitime pour la médiocrité de l'art officiel et pour l'absence de goût d'un public qui a condamné sans appel la musique de Wagner que Villiers vénère presque fanatiquement. On pourra mieux comprendre les raisons de ses répugnances en se reportant aux *Curiosités esthétiques* de Baudelaire.

Ses armes essentielles sont l'humour noir, l'ironie légère ou cinglante, le sourire indulgent ou féroce. Huysmans l'a bien compris, qui rend hommage à Villiers en ces termes :

« Mais, dans le tempérament de Villiers, un autre coin, bien autrement perçant, bien autrement net, existait, un coin de plaisanterie noire et de raillerie féroce ; ce n'étaient plus alors les paradoxales mystifications d'Edgar Poe, c'était un bafouage d'un comique lugubre, tel qu'en ragea Swift. Une série de pièces (…) décelaient un esprit de goguenardise singulièrement inventif et âcre. Toute l'ordure des idées utilitaires contemporaines, toute l'ignominie mercantile du siècle, étaient glorifiées en des pièces dont la poignante ironie transportait des Esseintes. » (*A Rebours,* chap. XIV.)

Le Symbolisme.

Il y a du mystique en Villiers. Son appartenance à la franc-maçonnerie, son intérêt pour les doctrines occultistes des premiers âges, comme le culte d'Isis, la déesse égyptienne, en sont des illustrations. C'est peut-être ce qui explique sa parenté intellectuelle avec Mallarmé et Gourmont, et son affiliation au Mouvement symboliste.

Le Symbolisme est contemporain du mouvement décadent (le *Manifeste symboliste* est publié en 1886, date à laquelle apparaît également le journal *Le Décadent*) et son expérience est d'ordre mystique : le monde tel qu'il nous apparaît nous cache l'essentiel. C'est ce Principe caché, cette Vérité, cette Essence des choses et des êtres qu'il faut chercher. Le but est d'exprimer et ainsi de révéler ce que voile le réel. Pour y parvenir, on a recours à l'hallucination volontaire (Rimbaud), aux sciences noires (hypnotisme — magnétisme), à la magie du langage (Mallarmé). Derrière ce monde-ci ou au-delà, il est un autre monde. La mort n'est pas le dernier terme car l'Esprit survit à la matière et la volonté peut être plus forte que la mort (on peut lire à ce propos *Vera* l'un des *Contes cruels* de Villiers).

Les Symbolistes se mettent avant tout au service de l'Idée, notion pure que seul l'esprit peut saisir et pénétrer par la pensée, et à l'aide du langage. « Le mot fait jaillir l'Idée » (Mallarmé) ; c'est pourquoi la poésie symboliste est essentiellement incantatoire. On retrouve les traces de ces préoccupations dans les propos de Lenoir (*Claire Lenoir,* p. 72). Quant au roman, il édifie une œuvre de « déformation subjective » :

« Un personnage se meut dans des milieux déformés par ses hallucinations propres, son tempérament. En cette déformation gît le seul réel. » (Moréas, *Manifeste littéraire* de 1886).

Les Phantasmes de M. Redoux et *La Torture par l'Espérance* paraissent appliquer cette théorie.

Villiers écrit aussi dans *La Vogue* où sont précisés les objectifs du Symbolisme :

« Nous voulons pouvoir placer en quelque époque ou même en plein rêve le développement du symbole. Nous voulons substituer à la lutte des individualités, la lutte des sensations et des idées, et pour milieu d'action, au lieu du ressassé décor de carrefours et de rues, totalité ou partie d'un cerveau. Le but essentiel de notre art est d'objectiver le subjectif (l'extériorisation de l'Idée) au lieu de subjectiver l'objectif (la nature vue à travers un tempérament). »

L'écriture exprime l'inconscient et est l'exutoire des phantasmes. Ils abondent dans *A Rebours* et Villiers, lui aussi, a exorcisé peut-être dans son œuvre certaines de ses angoisses, comme son obsession de la guillotine et de la décollation. Cette prolifération de têtes coupées (cf. *Ce Mahoin!*) n'est pas sans lien avec l'attirance morbide de toute une génération d'artistes pour des tableaux comme

« Tête de martyr » d'Odilon Redon ou « L'Apparition » de
Gustave Moreau, où l'on voit se dresser, face à une
Salomé terrifiée, la tête tranchée de Jean-Baptiste, fasci-
nante et accusatrice.

Quelles que soient les analogies, ces deux mouvements
manifestent une volonté anarchiste de lutter contre la
vulgarité démocratique et bourgeoise, contre un « public
odieux qui ne croit le plus souvent qu'aux médiocrités et
aux imbéciles ». Il n'est pas indifférent de souligner que
Baudelaire et Poe, autres esprits frères de Villiers,
avaient éprouvé les mêmes sentiments.

VILLIERS - BAUDELAIRE - POE

L'opinion de Bonhomet sur la femme (*Claire Lenoir*,
p. 35) semble rappeler ce que nous savons de celle de
Baudelaire : même ironie et même férocité. Encore est-il
possible que Villiers raille, à travers ce jugement, la
vaniteuse certitude qu'a le personnage de la prétendue
supériorité intellectuelle masculine.

Quant à l'amour, le couple Moutonnet en donne une
image assez monstrueuse. Il s'agirait plutôt ici d'une
analyse des composantes du désir, où l'homme et la
femme finissent par se reconnaître ennemis mortels. Telle
est déjà la leçon des *Amants de Tolède*. Citons *Portraits
de Maîtresses (Le Spleen de Paris)* ou un passage de
Fusées :

« La volupté unique et suprême de l'amour gît dans la
certitude de faire le mal. »

Le mépris envers le siècle aboutit au refuge des personnages vers d'autres compensations : La Chambre double de Baudelaire, la retraite de des Esseintes sont les
équivalents du choix des héros dans *Conte de fin d'été*.
Peut-être la même ironie envers les idées humanitaires et
sociales à la mode préside-t-elle à *Assommons les pauvres !* et aux *Délices d'une bonne œuvre*.

On discerne chez les personnages de Villiers le goût de
l'expérimentation, allié à un certain sadisme : Bonhomet,
qui marie des couples mal assortis ou tue les cygnes pour

écouter leur dernier chant, Torquemada, l'inquisiteur d'Espagne, le docteur Hallidonhill ne sont-ils pas les dignes frères spirituels du narrateur d'*Assommons les pauvres!* (le sadisme de Baudelaire a été amplement étudié par G. Blin) ou de des Esseintes tel qu'il apparaît dans les chapitres VI et XIII d'*A Rebours*.

Les dettes de Villiers envers Edgar Poe sont évidentes, soit qu'il s'en réclame ouvertement (exergue de *La Torture par l'Espérance*), soit qu'il emploie des procédés identiques. Ainsi des phénomènes étranges reçoivent une explication naturelle *(Catalina — Le Sphinx)*, des êtres aimés viennent hanter après leur mort le conjoint encore vivant *(Véra — Morella)*, d'autres se vengent de celui ou de celle qui a pris leur place *(Claire Lenoir — Ligea)*. Tous deux aiment souligner les bizarreries passagères du cerveau humain : la lubie de M. Redoux fait songer au *Démon de la perversité*, à cette « humeur qui nous pousse sans résistance vers une foule d'actions dangereuses ou inconvenantes », comme dit Baudelaire dans *Le Mauvais Vitrier*. Enfin, Villiers a su, à l'imitation de Poe, créer en France un fantastique d'un nouveau genre.

L'ART DU FANTASTIQUE

La méthode.

Il ne s'agit pas pour Villiers ni pour Poe de créer des monstres qui sont issus de mondes infernaux ou qui sont la matérialisation des régions marécageuses et ténébreuses de l'inconscient comme chez Lovecraft. Maupassant a très bien fait remarquer le subtil changement de l'essence même du fantastique : il est bien davantage question d'inquiéter, plutôt que d'effrayer, des lecteurs devenus moins superstitieux et moins frustement impressionnables. Et l'insolite ne vient pas tant de la réalité extérieure que de la perception distordue qu'en a le héros, influencé par son état d'esprit ou d'âme, ou en proie aux délires de son imagination. L'imagination est d'ailleurs un ressort essentiel :

« La Peur, par exemple, l'idée seule de la Peur superstitieuse, sans motif extérieur, peut foudroyer un homme comme une pile électrique. » (*Claire Lenoir,* p. 88.)

« ... en admettant même que les faits suivants soient radicalement faux, la seule idée de leur simple possibilité est tout aussi terrible que le pourrait être leur authenticité démontrée et reconnue. » (*Claire Lenoir,* p. 26.)

Ainsi en est-il de M. Redoux, ou du héros de *Catalina,* ou du rabbin Aser Abarbanel et, suprême subtilité, la logique vient au secours du décuplement irrationnel de la peur : le raisonnement de ces héros multiplie leurs angoisses.

La composition.

La composition de la nouvelle se plie également à la théorie de Poe : existence d'un effet unique situé à la fin de l'histoire et auquel tous les éléments doivent contribuer. Le récit s'apparente alors au roman policier à énigmes. L'analyse rapide de la structure de *Claire Lenoir* permet de le vérifier :

Chapitre I : Présentation du narrateur Tribulat Bonhomet ; choix dès les premières lignes d'un vocabulaire suggestif destiné à tisser l'atmosphère du récit.

Longue digression : portrait de Bonhomet, être rationnel mais « angoisseux » ; c'est donc pour le conte à venir une garantie d'authenticité, ce qui le rendra encore plus inquiétant, tout en laissant ouverte la porte de l'insolite.

Chapitre II : Une histoire de femme.

La femme mystérieuse fait penser à Claire Lenoir.

Autre mystère : ses yeux.

Chapitre III : Démenti : la femme adultère n'est pas vraisemblablement Claire Lenoir.

Chapitre IV : Apparemment aucun rapport avec ce qui précède. Pourtant le rapport est dénoncé par l'article sur les yeux des animaux abattus, et par le caractère « d'à propos » de cette information, sans que le lecteur ni le narrateur sachent pourquoi.

Chapitre V : Apparition de l'héroïne, décrite surtout par ses yeux.

Chapitres VI à XIV : Conversation des trois personnages ; un temps mort dans le déroulement de l'intrigue. Toutefois on relève une série d'indices :

Chapitre VII : Référence allusive à Poe et aux sujets de ses contes, p. 54.

Chapitre VIII : Portrait inquiétant de Césaire, pp. 59-60 ; ses thèmes favoris : anthropophagie, pouvoir physique des mânes sur les vivants ; ses croyances, p. 61.

Chapitres XIII et XIV : Des propos qui préparent le dénouement, pp. 91, 93 et 95 :

« ... j'éprouve des accès de ténèbres, de passions furieuses !... des haines de Sauvage, de farouches soifs de sang inassouvies, comme si j'étais hanté par un cannibale !... »

Des allusions qui renvoient au chapitre II, p. 96.

Chapitre XV : Les dernières paroles de Lenoir, p. 99 : un présage.

Chapitre XVI : Une nouvelle énigme : la panique inexplicable de Claire et de Bonhomet.

Chapitre XVII : Un an après.

On relate la mort curieuse d'un officier anglais.

Chapitres XVIII, XIX, XX : Résolution des énigmes.

— La femme mystérieuse du chapitre II est bien Claire Lenoir.
— Explication de la panique du chapitre XVI.
— Explication, retardée par la mort de Claire et par la profanation de Bonhomet, de l'énigme du chapitre XVII.

Pourtant ici le fantastique n'est qu'un prétexte, car les indices sont trop appuyés, trop lourdement désignés comme tels au lecteur pour que le but de Villiers ne soit pas autre : provoquer le frisson n'est pas une fin, il faut aussi faire réfléchir. D'ailleurs, Villiers a su dans *Véra* ou dans *La Torture par l'Espérance* ménager une composition plus subtile et plus ramassée.

Le style.

Une grande partie du pouvoir de Villiers vient de son

talent à suggérer l'insolite, à distiller l'effroi par une rhétorique appropriée :

— Des adjectifs choisis (monstrueux, affreux, terrible, ténébreux, horrible) utilisés au moment propice.

— Des comparaisons et métaphores splendidement évocatrices :

« il était semblable à l'un des monstres familiers des plages désertes et des vagues maudites. Son corps, velu et farouche, se dressait, fumée plus foncée que l'ébène... Autour de lui s'étendaient les espaces, peuplés par les Terreurs et l'infini des songes... ses yeux nocturnes faisaient frissonner mon âme d'une angoisse de sang, d'enfer et d'agonie... »

— Un sens pictural de la description : par exemple, les caveaux de l'Official de Sarragosse, décrits p. 229, évoquent les oppressantes *Prisons* de Piranèse.

— Un sens aigu du pouvoir musicalement magique des mots :

« L'écrasis criard des charrettes... »

« Ah ! ce Mahoin ! L'hybride et fangeux brigand ! Le tragique et retors malvat ! Un rôdeur de routes, une face de crime, à reflets ternes, couleur de couteau sale. »

On pourrait citer bien d'autres exemples. La langue de Villiers, riche et ciselée, justifie l'admiration de Huysmans et de Mallarmé.

TRIBULAT BONHOMET

Cette créature mérite qu'on s'y attarde. Bonhomet apparaît dans *Le Tueur de cygnes* et dans *Claire Lenoir* où il sert de repoussoir aux deux autres personnages. A travers cet être caricatural Villiers se venge de tout ce qu'il déteste.

Les périphrases qui le désignent (Le pratique vieillard — Le rationnel docteur — Le bon docteur) se veulent péjoratives ou ironiques. Du portrait physique qu'il trace lui-même émane une laideur incontestable, laideur grotesque quelque peu symbolique puisqu'il est « l'archétype de son siècle », le digne représentant de cette bourgeoisie triomphante dans sa vulgarité, sa bêtise, son contentement de soi, ses certitudes. Il ne serait pas déplacé dans les caricatures de Gavarni. Apparaissent également dans ses efforts pour intellectualiser cette laideur (citations latines, recours aux explications scientifiques, à la physiognomonie), son pédantisme et sa complaisance égocentrique.

Il est ridicule. Ses convictions vont au Progrès (p. 31) à la science positive, mais il a peur du vent (p. 30); il méprise l'idéalisme, se croit intellectuellement supérieur (cf. ses commentaires des propos des Lenoir) et très cultivé, mais on nous dit:

« A force de compulser des tomes d'histoire naturelle, notre illustre ami, le docteur Tribulat Bonhomet avait fini par apprendre que "le cygne chante bien avant de mourir." » *(Le Tueur de cygnes.)*

Il a tous les défauts de sa classe: le sens de l'utile (il oppose au discours de Lenoir un «à quoi cela peut-il servir? agacé, p. 75, l'égoïsme («Après nous le déluge!»), l'hypocrisie et l'esprit de caste:

« Malheur sur les républiques futures, sur les sociétés idéales, où les hommes sensibles n'auraient plus à verser, comme moi, de douces larmes sur le sort des peuples!... » (p. 77.)

Il possède le sens commun (p. 70 et p. 74) et son maître à penser est Voltaire dont il estime «l'habileté… qui consiste à fouler aux pieds tout respect de son semblable sous les dehors d'un dévouement humble jusqu'à l'obséquiosité» (p. 32). Citons à ce propos le *Journal* des Goncourt:

« Tout me désespère dans ce temps! ce n'est pas assez que mon pays soit en république, il fallait encore qu'il se plaçât sous l'invocation de Voltaire… »

Ses goûts artistiques sont eux aussi spécifiques de son siècle: la musique de Wagner est «du charivari» et le musicien lui-même un «croque-note» incapable de penser. Les *Histoires extraordinaires* de Poe sont «le dernier mot du banal» et *La Légende des siècles* le «capharnaüm le plus chaotique dont cerveau brûlé ait jamais conçu l'extravagance». Il affiche d'ailleurs son mépris pour les belles-lettres, et ses émotions esthétiques, quand il les cultive, sont entachées de perversité et de sadisme *(Le Tueur de cygnes),* un sadisme, il est vrai, « à la bourgeoise ». On ne peut nier le caractère symbolique de la nouvelle : à travers les cygnes, c'est la Beauté, la Pureté, l'Art que Bonhomet assassine pour en tirer une grossière jouissance. Ainsi procède, pour des raisons toutefois différentes, le héros d'une nouvelle de Remy de Gourmont *L'Amateur,* qui éprouve des extases infinies à maculer et à détruire les chefs-d'œuvre des maîtres de l'estampe.

Le comportement de Bonhomet révèle une certaine violence (p. 81), une sorte de tendance à tout détruire et à tout dessécher : dans sa fréquentation, les jeunes gens pleins d'enthousiasmes perdent insensiblement l'habitude du rire et même du sourire (p. 56) et les « pensées soi-disant grandes, généreuses, enthousiastes, il suffit qu'elles soient simplement reflétées par (son) cerveau et disséquées naïvement par (ses) lèvres pour qu'elles deviennent d'une aridité capable de provoquer chez les spectres eux-mêmes la nostalgie du sarcophage ». Il est capable de tout quand sa vanité est blessée et son insensibilité n'est pas à démontrer.

Peut-on lui appliquer cette pensée de Lenoir :

« Il est des Ténèbres-méphitiques, qui, incapables de recevoir la Lumière, éteignent les flambeaux » ? (p. 74.)

Sans aller jusqu'à charger le personnage d'un symbolisme excessif, on peut comprendre qu'il incarne ces contemporains que Villiers considère avec tant de dérision.

ÉLÉMENTS DE BIBLIOGRAPHIE

VILLIERS DE L'ISLE-ADAM : *Contes cruels*, GF Flammarion.

MALLARMÉ Stéphane : *Vers et Prose*, GF Flammarion.
Villiers de l'Isle-Adam (Souvenir).

HUYSMANS Joris Karl : *A Rebours*, GF Flammarion.

FLAUBERT Gustave : *Madame Bovary*, GF Flammarion.
Dictionnaire des idées reçues.
Bouvard et Pécuchet, GF Flammarion.

BAUDELAIRE Charles : *Petits Poèmes en prose*, GF Flammarion.
Les Curiosités esthétiques, Classique Garnier.

POE Edgar Allan : *Histoires extraordinaires*, GF Flammarion.
Nouvelles Histoires extraordinaires, GF Flammarion.
Le Sphinx et autres contes, NRF, 1934.

DE GOURMONT Remy : *D'un pays lointain*, Mercure de France, Paris, 1897.

GAUTIER Théophile : *Mademoiselle de Maupin*, GF Flammarion.

THÈMES PROPOSÉS

Villiers moraliste : satire morale — satire sociale.
Villiers et ses personnages.
La rhétorique de Villiers.
L'humour chez Villiers.
Nature et but de l'Insolite.

CONTES ET NOUVELLES FANTASTIQUES
PARUS DANS LA
COLLECTION GF FLAMMARION

Contes merveilleux, fantastiques, réalistes

TABLE DES MATIÈRES

GF — TEXTE INTÉGRAL — GF

10654-1984. — Mame, Tours.
N° d'édition 10245. — Octobre 1984. — Printed in France.